Basiswissen RAMI4.0

Jetzt diesen Titel zusätzlich als E-Book downloaden und 70 % sparen!

Als Käufer dieses Buchtitels haben Sie Anspruch auf ein besonderes Kombi-Angebot: Sie können den Titel zusätzlich zum Ihnen vorliegenden gedruckten Exemplar für nur 30 % des Normalpreises als E-Book beziehen.

Der BESONDERE VORTEIL: Im E-Book recherchieren Sie in Sekundenschnelle die gewünschten Themen und Textpassagen. Denn die E-Book-Variante ist mit einer komfortablen Volltextsuche ausgestattet!

Deshalb: Zögern Sie nicht. Laden Sie sich am besten gleich Ihre persönliche E-Book-Ausgabe dieses Titels herunter.

In 3 einfachen Schritten zum E-Book:

1. Rufen Sie die Website **www.beuth.de/e-book** auf.

2. Geben Sie hier Ihren persönlichen, nur einmal verwendbaren E-Book-Code ein:

   2648290K8DK41A9

3. Klicken Sie das „Download-Feld“ an und gehen dann weiter zum Warenkorb. Führen Sie den normalen Bestellprozess aus.

Hinweis: Der E-Book-Code wurde individuell für Sie als Erwerber dieses Buches erzeugt und darf nicht an Dritte weitergegeben werden. Mit Zurückziehung dieses Buches wird auch der damit verbundene E-Book-Code für den Download ungültig.

Industrie4.0
Basiswissen RAMI4.0

R. Heidel, M. Hoffmeister,
M. Hankel, U. Döbrich

Industrie4.0
Basiswissen RAMI4.0

Referenzarchitekturmodell mit Industrie4.0-Komponente

1. Auflage 2017

Herausgeber:
DIN Deutsches Institut für Normung e. V.

Beuth Verlag GmbH · Berlin · Wien · Zürich

VDE Verlag GmbH

Herausgeber: DIN Deutsches Institut für Normung e. V.

© 2017 Beuth Verlag GmbH
Berlin · Wien · Zürich
Am DIN-Platz
Burggrafenstraße 6
10787 Berlin

Telefon: +49 30 2601-0
Telefax: +49 30 2601-1260
Internet: www.beuth.de
E-Mail: kundenservice@beuth.de

© VDE Verlag GmbH
Berlin · Offenbach
Bismarkstraße 33
10625 Berlin
oder Postfach 12 01 43, 10591 Berlin

Telefon: +49 30 348001-1000 (Zentrale)
Telefax: +49 30 348001-9088
Internet: www.vde-verlag.de
E-Mail: kundenservice@vde-verlag.de

Titelbild: © ZVEI – Zentralverband Elektrotechnik- und Elektronikindustrie e. V. Plattform Industrie4.0 / Hrsg. Bitkom, VDMA, ZVEI: Umsetzungsstrategie Industrie4.0 – Ergebnisbericht, Berlin, April 2015 Referenzarchitekturmodell / Reference Architecture Model Industrie4.0 (RAMI4.0)
Satz: B & B Fachübersetzergesellschaft mbH, Berlin
Druck: COLONEL, Kraków
Gedruckt auf säurefreiem, alterungsbeständigem Papier nach DIN EN ISO 9706

ISBN 978-3-410-26482-8 (Beuth Verlag)
ISBN (E-Book) 978-3-410-26483-5 (Beuth Verlag)
ISBN 978-3-8007-4247-9 (VDE Verlag)
ISBN (E-Book) 978-3-8007-4248-6 (VDE Verlag)

Über die Autoren

Roland Heidel

Roland Heidel begann nach dem Studium der Elektrotechnik im Jahr 1977 bei Siemens in der Abteilung zur Entwicklung industrieller Kommunikationssysteme. Er war u.a. technischer Projektleiter des Verbundprojekts Feldbus zur Realisierung des industriellen Feld-Kommunikationssystems Profibus und Leiter mehrerer EU-Projekte zu Themen der industriellen Automatisierungstechnik, insbesondere auch im Umfeld des produktdatenbasierten Engineering. Er war Leiter einer Vorfeldabteilung und bis zu seinem Ausscheiden aus der Siemens AG Leiter der Abteilung „Standards & Regulations" für die Divisionen „Digital Factory (DF)" und „Process Industries and Drives (PD)".

Bis 2016 war er Chairman des Normungsgremiums IEC/TC 65 „Industrial-Process Measurement and Control", war bis Herbst 2014 Sprecher der Industrie4.0-Arbeitgruppe 2 (Referenzarchitektur, Standardisierung und Normung) und bis 2015 Sprecher des zugehörigen Spiegelgremiums im ZVEI. Seit 2015 ist er mit seiner Firma Kommunikationslösungen e.K. selbstständig und in mehreren Industrie4.0-Arbeitsgruppen der Plattform und des ZVEI tätig.

Dr. Michael Hoffmeister

Michael Hoffmeister studierte Informatik an der Technischen Universität Karlsruhe (KIT) und arbeitete parallel als freiberuflicher Entwickler von Echtzeitsystemen. Anschließend war er als Forscher und Projektleiter am Fraunhofer Institut IPA in Stuttgart tätig, wo er 2012 promovierte. Für die Industrie war er als Consultant für große IT-Projekte im Bereich Fabrikbetrieb, Maschinenintegration und Big-Data (SPC, APC) gefragt. In der Forschung beschäftigte er sich mit intelligenten Maschinen, semantischen Technologien, Big-Data und der Integration von heterogenen Automatisierungssystemen. Seit 2012 verantwortet er das Portfoliomanagement für Software-Tools für den Komponentenhersteller Festo. Sein heutiges berufliches Interesse liegt auf Engineering-Plattformen für mechatronische Systeme.

Seit 2014 treibt Dr. Hoffmeister die Standardisierung der Industrie4.0 im Allgemeinen und der Spezifikation der Industrie4.0-Komponente im Besonderen voran. Er ist Mitverfasser der DIN SPEC 91345 (Konzepte der Industrie4.0), Leiter der Arbeitsgruppe SG Modelle und Standards des ZVEI und Mitglied weiterer Arbeitsgruppen der nationalen und internationalen Standardisierung. Weiterhin ist er Obmann des VDMA Einheitsblatts 66415 (Vereinheitlichung Projektierungsinformationen Mechanik, Elektrik, Software).

Martin Hankel

Martin Hankel hat Elektrotechnik mit Schwerpunkt Regelungstechnik sowie ein Zusatzstudium zum Master of Business Marketing absolviert. Er war in verschiedenen Positionen bei der Hoechst AG, der AEG und Schneider electric tätig. Heute ist er bei der Bosch Rexroth AG Projektleiter für Industrie4.0-Technik. Seine Hauptaufgaben sind dabei die Entwicklungskoordination sowie die Konzeption von Demonstratoren und Umsetzungen in den eigenen Werken. Zusätzlich ist er seit 2012 aktiv und an vielen Veröffentlichungen der verschiedenen Gremien zur Referenzarchitektur Industrie4.0 beteiligt u.a. bei der Plattform Industrie4.0, beim ZVEI, VDI, VDMA, DIN und der DKE.

Udo Döbrich

Udo Döbrich begann nach dem Studium der Informatik im Jahre 1980 bei Siemens in der Vorfeldentwicklung im Bereich Industrie. Er war dort für die Prüfung und Umsetzung neuer Technologien in der Automatisierungstechnik und deren Normung zuständig. Mit dieser Aufgabe war er maßgeblich an der Spezifikation des Profibus beteiligt. Während dieses Projekts wurde klar, dass offene Kommunikation noch keine Kooperation verschiedener Komponenten einer Anlage ermöglicht. Nach Arbeiten zur Profilbildung kommunikationsfähiger Komponenten zur Kooperation im operationalen Betrieb widmete er sich der Spezifikation des Modells zur Konfiguration und Parametrierung von Feldgeräten in Form der formalen Beschreibungssprache Electronic Device Description EDDL, die er auch zur internationalen Norm IEC 61804 führte.

Es stellte sich heraus, dass es in allen Phasen einer Anlage einer eindeutigen formalen Beschreibung der Komponenteneigenschaften bedarf. Daher arbeitete er in den entsprechenden Arbeitskreisen der NAMUR und eCl@ss mit, in denen die Regeln zur Spezifikation von Merkmalen und wesentliche Merkmalfamilien für Produkte erstellt wurden. Die Ergebnisse wurden von ihm in die Normen IEC 61158, IEC 61360 und IEC 61784 eingebracht. Als Leiter der IEC-Arbeitsgruppe „Digital Factory" schuf er in seiner Arbeitsgruppe mit den Dokumenten IEC TR 62794 und IEC 62832 wesentliche Grundlagen zur Modellbildung für datentechnische Komponentenbeschreibungen, wie sie auch in Industrie4.0 zum Einsatz kommen.

Vorwort

Folgt man den Gedanken des Philosophen und Publizisten Richard David Precht, so wird eine von Industrie4.0 geprägte Gesellschaft mit „Robotern“ die Dienste ausführen lassen, die in früheren Zeiten von Sklaven verrichtet wurden.

Ob dies so oder so ähnlich eintritt, wird die Zukunft zeigen. Sicher ist, dass im Internet der Dinge und Dienste eine Infrastruktur, die aus Gegenständen der physischen Welt besteht, in der Informationswelt hinreichend genau nach klaren Regeln abgebildet werden muss. Daher stand in der Plattform Industrie4.0 der Gegenstand mit dem Referenzarchitekturmodell RAMI4.0 und der I4.0-Komponente von Beginn an im Zentrum der Überlegungen.

Mit zunehmender Zahl an Dokumenten aus den verschiedenen Arbeitskreisen der Plattform wurde klar, dass es eines „roten Fadens“ bedarf, der die Inhalte dieser Dokumente zueinander in Beziehung setzt und dem Leser damit ein übergreifendes Verständnis für die Technik von Industrie4.0 ermöglicht.

Das vorliegende Buch fasst viele bislang in Einzeldokumenten enthaltenen Ergebnisse zusammen. Es behandelt im Wesentlichen die Charakterisierung eines Gegenstands („Assets“) in der Informationswelt mittels standardisierter Merkmale und die Regeln zur informatischen Abbildung eines solchen Gegenstands der physischen Welt, in der Informationswelt.

Die Autoren möchten sich bei allen, die mitgeholfen haben, die Inhalte zusammenzutragen und Texte gegenzulesen, herzlich bedanken. Insbesondere die Vorschläge zu infrage kommenden nationalen und internationalen Normen im Kontext von Industrie4.0 waren sehr hilfreich. Da das Thema Industrie4.0 von branchenübergreifender Bedeutung ist, wird sicher die eine oder andere Thematik nicht oder noch nicht ausführlich genug beschrieben sein, sei es weil branchenspezifisch dafür ein eigenes Buch erforderlich wäre, oder sei es, dass hierzu bislang noch keine publizierfähigen Ergebnisse vorliegen. Die Autoren hoffen, dass dieses Buch das Verständnis für die Inhalte der vorliegenden, aber auch für die in weiterer loser Folge erscheinenden Dokumente aus der Plattform Industrie4.0, ZVEI, VDI/GMA, VDMA und Bitkom erleichtert.

Berlin, April 2017

Gewidmet

Herrn Dr. Peter Adolphs †,
Sprecher der Arbeitsgruppe 1 der Plattform Industrie4.0

Herrn Dr. Marcus Adams †,
Sekretär des Systemkomitees Cenelec TC 65X

Geleitwort

Die rasant zunehmende Digitalisierung von Wirtschaft und Gesellschaft verändert die Art und Weise, wie produziert und gearbeitet wird. Sie steht für die umfassende Vernetzung all dieser Bereiche sowie die Fähigkeit, relevante Informationen zu sammeln, zu analysieren und in Handlungen umzusetzen. „Die Digitalisierung beeinflusst unsere Wirtschaft so stark wie kaum etwas anderes“, sagte Bundeskanzlerin Angela Merkel zur Eröffnung der CEBIT 2017.

Der Begriff Industrie4.0 steht, wie ich ihn als Mitglied des Lenkungskreises der Plattform Industrie4.0 bereits im Jahr 2013 mit konkretisieren durfte, für die vierte industrielle Revolution, einer neuen Stufe der Organisation und Steuerung der gesamten Wertschöpfungskette über den Lebenszyklus von Produkten. Dieser Zyklus orientiert sich an zunehmend individualisierten Kundenwünschen und erstreckt sich von der Idee, dem Auftrag über die Entwicklung und Fertigung, die Auslieferung eines Produkts an den Endkunden bis hin zum Recycling, einschließlich der damit verbundenen Dienstleistungen.

Basis ist die Verfügbarkeit aller relevanten Informationen in Echtzeit durch Vernetzung aller an der Wertschöpfung beteiligten Instanzen sowie die Fähigkeit, aus den Daten den zu jedem Zeitpunkt optimalen Wertschöpfungsfluss abzuleiten. Durch die Verbindung von Menschen, Objekten und Systemen entstehen dynamische, echtzeitoptimierte und selbstorganisierende, unternehmensübergreifende Wertschöpfungsnetzwerke, die sich nach unterschiedlichen Kriterien wie Kosten, Verfügbarkeit und Ressourcenverbrauch optimieren lassen.

Dies wird bestehende Geschäftsmodelle verändern, etablierte Marktstrukturen verschieben und Anteile am Weltmarkt neu verteilen. Die Analyse riesiger Datenmengen wird neue Geschäftsmodelle und Produkte ermöglichen, die auf Kundenwünsche genau zugeschnitten sind.

Zentraler Rohstoff dieses digitalen Wandels sind Daten. Der Umgang mit ihnen ist ein entscheidender Erfolgsfaktor modernen Wirtschaftens. Der Datenverkehr entwickelt sich extrem schnell. Ein wichtiger Grund hierfür ist die stark steigende Vernetzung von Geräten, Maschinen und Menschen über das Internet. Laut einer Gartner-Studie sind bereits heute mehr Geräte und Maschinen über das Internet vernetzt als Menschen. Bereits 2020 wird sich diese Zahl auf über 20 Milliarden erhöhen. Der flächendeckende Einzug der Informations- und Kommunikationstechnologie ermöglicht die neuartige Vernetzung zu einem Internet der Dinge, Dienste und Daten und zieht weitreichende Veränderungen in den Bereichen Technologie, Wissenschaft und Arbeitsorganisation nach sich.

Diese neuartige Form der Vernetzung erfordert eine nie dagewesene Integration der Systeme über Domänen- und Hierarchiegrenzen hinweg. Dabei kommt es vor allem darauf an, in welcher Weise die verschiedenen Teildisziplinen intelligent und störungsfrei zusammenarbeiten.

Eine derartige Vernetzung lässt sich nur auf der Grundlage konsensbasierter Normen und Standards realisieren. Diese schaffen eine sichere Grundlage für die technische Beschaffung, unterstützen die Kommunikation durch einheitliche Begriffe und Konzepte und stellen die Interoperabilität, Praxistauglichkeit und Marktrelevanz sicher.

Industrie4.0 ist kein rein nationales Thema. Im Gegenteil – es ist von großer internationaler Bedeutung und braucht ein abgestimmtes und strategisches Vorgehen aller interessierten und betroffenen Kreise. Um für den Wettlauf um die Produkte und Märkte von morgen gerüstet zu sein, müssen bereits heute die Grundlagen für die digitale Transformation unserer Industrie gelegt werden. Die Plattform Industrie4.0 hat hier einen entscheidenden Beitrag geleistet, Wirtschaft, Wissenschaft, Gewerkschaften, Verbraucher und Politik an einen Tisch zu bringen und an einer gemeinsamen Zukunft des Industriestandorts Deutschland zu arbeiten.

Verlässliche, international anerkannte Normen und Standards sind dabei von zentraler Bedeutung und stellen eine der wesentlichen Herausforderungen bei der Umsetzung von Industrie4.0 dar. Deshalb wurde mit dem Standardization Council Industrie4.0 auch eine dedizierte Einheit unter Leitung der Normungsorganisationen DIN und DKE geschaffen, welche die Aufgabe hat, Ergebnisse der Plattform Industrie4.0 einer internationalen Standardisierung zuzuführen – entweder über die konsensbasierte Normung oder in Zusammenarbeit mit geeigneten Foren und Konsortien.

Für Normungs- und Standardisierungsorganisationen bedeutet dies, nicht nur den Stand der Technik festzulegen, sondern auch zu beschreiben, wie Dinge in Zukunft funktionieren. Hierzu haben die Autoren des Buches im Rahmen ihres Engagements in der Arbeitsgruppe „Referenzarchitektur, Standardisierung und Normung“ der Plattform Industrie4.0, in den zugehörigen Spiegelgremien des Zentralverbands Elektrotechnik- und Elektronikindustrie (ZVEI), in Fachausschüssen der VDI/VDE Gesellschaft Mess- und Automatisierungstechnik sowie in der Normungsarbeit bei DIN und DKE einen wesentlichen Beitrag geleistet.

Ein wichtiges Ergebnis dieser Arbeit ist das Referenzarchitekturmodell Industrie4.0 (RAMI4.0), welches unter Beteiligung zahlreicher Experten aus Wirtschaft, Forschung und Fachverbänden als DIN SPEC 91345 veröffentlicht und anschließend in die internationale Normung bei IEC und ISO eingebracht wurde.

Aber auch eine Vielzahl weiterer Modelle, Methoden und Konzepte in diesem Buch wurden von den Autoren im Rahmen ihres Engagements im Umfeld der Plattform Industrie4.0 entwickelt und bildet das technische Fundament von Industrie4.0. Unter aktiver Mitwirkung der Autoren ist es gelungen, unterschiedliche Expertisen und Perspektiven zusammenzuführen, Herausforderungen zu identifizieren, Handlungsempfehlungen zu formulieren und Normen und Standards für Wirtschaft, Wissenschaft und Politik anzubieten.

Auch in der Hightech-Strategie der Bundesregierung werden Normen und Standards als Katalysator bezeichnet, der die Durchsetzung von Innovationen auf Märkten beschleunigt. Mit ihrer marktöffnenden und deregulierenden Wirkung stärken Normen und Standards die Wettbewerbsfähigkeit Deutschlands als Wirtschaftsnation und Exportland.

Dazu haben auch die Autoren dieses Buches wesentlich beigetragen, weshalb ich ihnen auch in meiner Rolle als Vorstandsvorsitzender von DIN herzlich danken möchte.

Christoph Winterhalter

Inhaltsverzeichnis

1 Einleitung ... 1

2 Einordnung von Industrie4.0 ... 3

3 Die Anforderungen an ein Referenzarchitekturmodell von Industrie4.0 ... 6

3.1 Charakteristika eines Referenzarchitekturmodells ... 6

3.2 Allgemeine Anforderungen in Industrie4.0 ... 7

3.3 Stand der Technik ... 8

3.4 Das Szenario „Wandlungsfähige Fabrik“ ... 11

4 Merkmalsprinzip ... 17

4.1 Beschreibung der physischen und der Informationswelt ... 17

4.1.1 Begriffe ... 17

4.1.2 Merkmale ... 18

4.2 Merkmale in Industrie4.0 ... 19

4.2.1 Spezifikation von Merkmalen für Industrie4.0 ... 20

4.2.2 Merkmalwerte ... 22

4.2.3 Strukturierte Verwendung von Merkmalen ... 24

4.2.4 Merkmalslisten (List of Properties) für verschiedene Prozesse und Prozessphasen ... 27

5 Aspekte eines Assets in Industrie4.0 ... 31

5.1 Grundlegende Überlegungen ... 31

5.2 Bekanntheitsgrad und Kommunikationsfähigkeit ... 34

6 Referenzarchitekturmodell Industrie4.0 (RAMI4.0) ... 38

6.1 Hintergrund ... 38

6.2 Achse Lebenszyklus und Wertstrom ... 42

6.3 Hierarchie-Achse (Zuordnung) ... 44

6.4 Architektur-Achse (Layer) ... 45

6.4.1 Asset- und Integration-Layer ... 46

6.4.2 Communication Layer ... 47

6.4.3 Information Layer ... 50

6.4.4 Functional Layer ... 51

6.4.5 Business Layer ... 53

6.5 Beispiel für eine servo-hydraulische Achse in den Architekturschichten von RAMI4.0 ... 54

7 Anwendung von RAMI4.0 in Wertschöpfungsnetzwerken ... 56
7.1 Perspektiven auf Wertströme ... 56
7.2 Perspektiven auf Daten und Informationen ... 58

8 Spiegelung der physischen Welt in die Informationswelt ... 61
8.1 Objektwelten ... 62
8.2 Prinzipielles zur Methodik der Spiegelung ... 62
8.3 Identifikatoren ... 64
8.3.1 International Registration Data Identifier (IRDI) ... 64
8.3.2 Uniform Ressource Identifier (URI) ... 66

9 Die I4.0-Komponente ... 67
9.1 Motivation für ein Referenzmodell ... 67
9.2 Grundlegende Idee der I4.0-Komponente ... 68
9.3 Geltungsbereich der I4.0-Komponente ... 69
9.4 Datentechnische Abbildung der Verwaltungsschale ... 71
9.4.1 Verwaltungsschale durch das Asset selber bereitgestellt ... 71
9.4.2 Verwaltungsschale durch ein zentrales Repository bereitgestellt ... 72
9.5 Dynamische Vernetzung von I4.0-Komponenten ... 74
9.5.1 Aktivierung des Betriebs ... 75
9.5.2 Assetorientierter Zugriff ... 75
9.5.3 Dynamische Kooperationen ... 77
9.6 Welche Informationselemente sollte die Verwaltungsschale aufnehmen? ... 77
9.7 Ausführung der standardisierten Informationselemente (Merkmale) . 80
9.8 Merkmale und semantische Technologien ... 81
9.9 Standardisierte Funktionen ... 84
9.10 Teilmodelle gruppieren die Informationen und Funktionen einer I4.0-Komponente ... 86
9.11 Identifikation für die verschiedenen Elemente der I4.0-Komponente . 89
9.12 Grobstruktur der Verwaltungsschale ... 91
9.13 Beispielhafte Darstellung eines Teilmodells ... 92
9.14 Entwurfsprozess für eine I4.0-Komponente ... 94
9.15 Entwurfsprozess für ein System aus I4.0-Komponenten ... 95

10 Assetverbünde und Beziehungskomplexe ... 97
10.1 Kooperationen ... 97
10.2 Beziehungen ... 100
10.3 Assetverbünde ... 101
10.4 Beispielhafte Assetverbünde ... 103
10.4.1 Schraubverbindung ... 103
10.4.2 Maschine als Teil einer Fabrik ... 103
10.4.3 Rohr mit Ventil ... 105
10.5 Aggregation und Detaillierung von Assetverbünden ... 106
10.6 Schematische Darstellung einer Kooperation ... 108
10.7 Einheitliche Kooperationssprache (Grammatik) ... 109

11 Connectivity ... 111
11.1 Serviceorientierung ... 111
11.2 Interaktionsmodelle für I4.0-Komponenten ... 111

12 Security ... 115
12.1 Identifikator und Identitäten ... 115
12.2 Security (-Prozess) als Asset ... 116

13 Normen und Normung ... 118
13.1 Normungsbedarf ... 118
13.2 Merkmalsnormung ... 119

14 Kriterien für Industrie4.0-Produkte ... 123
14.1 Allgemeines ... 123
14.2 Ausblick ... 126

Literaturverzeichnis ... 130

Stichwortverzeichnis ... 140

1 Einleitung

Als im Jahr 2013 der Begriff Industrie4.0 geprägt wurde, kam der schon länger zu beobachtende Trend zur „Digitalisierung“ ins Bewusstsein einer breiten Öffentlichkeit. Die seinerzeit in einer acatech-Studie [1] veröffentlichte Vision lässt sich vereinfacht so beschreiben, dass an die Stelle des bislang üblichen reinen „Datenaustauschs“ zwischen Komponenten die Kooperation dieser Komponenten in einer Anlage bzw. beliebigen Anordnung im Vordergrund steht. Dabei sollen sich die miteinander kooperierenden Einheiten idealerweise selbst z. B. zu einer Fertigungslinie finden; das zu fertigende Produkt soll seine eigene Bearbeitung beeinflussen können. Mit diesem Ansatz verspricht man sich mehr Flexibilität für den Fertigungsprozess und damit auch Produkte in Stückzahl 1 (customized mass production), die bei den Kosten mit heutigen massengefertigten Produkten mithalten können. In diesem Ansatz stecken Rationalisierungspotenziale, die u. a. folgende Themenfelder betreffen:

- automatisiertes bzw. teilautomatisiertes Engineering
- signifikant verbesserte Interoperabilität
- Selbstauskunft der Komponenten
- zeitliche Verfolgbarkeit und Lokalisierung der beteiligten Komponenten
- flexiblere Fertigungsprozesse
- signifikant verbesserte Wartung
- höhere Transparenz
- niedrigere Kosten
- schnellere Rüstzeiten mit Möglichkeiten zur Optimierung zur Laufzeit einer Anlage

Die Voraussetzungen, viele der angepeilten Ziele verwirklichen zu können, sind gut, denn Industrie4.0 kann als Teil der umfangreichen Arbeiten zum „Internet der Dinge und Services“ (IoTS[1]) betrachtet werden, das als Sammelbegriff für die Digitalisierung unserer Lebenswelt steht.

Der wesentliche Aspekt bei Industrie4.0 ist die hinreichende *digitale Spiegelung* der physischen Welt in die Informationswelt. Um zu verstehen, was damit gemeint ist, werden die typischen Anforderungen in der Industrie, der bislang erreichte Stand der Technik und der gegenwärtige technische Trend zunächst beschrieben. Dabei wird zur Vereinfachung in diesem Buch der Begriff ‚Industrie4.0‘ meist mit I4.0 abgekürzt.

1 IoTS steht für Internet of Things and Services.

„Big Data“, die Analyse von Daten in der Informationswelt, stellt einen Anwendungsfall innerhalb von Industrie4.0 dar, auf den im Rahmen dieses Buchs nicht eingegangen wird.

2 Einordnung von Industrie4.0

Industrie4.0 wird als Teilthema des Internet der Dinge und Services (IoTS) betrachtet. Wie Abbildung 1 zeigt, soll die in Entwicklung befindliche Basistechnik branchenübergreifend folgende drei Kernthemen abdecken:

- Smart Factory, smart Plant[2]
- Smart Products
- Smart Services

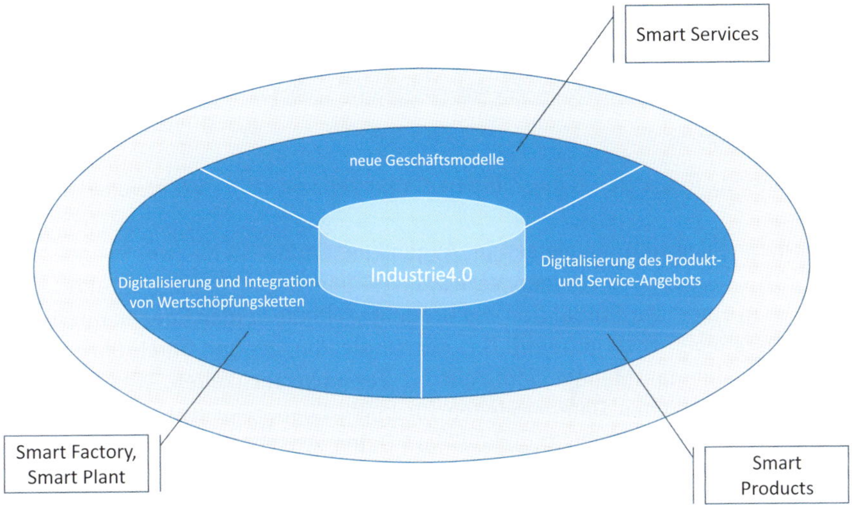

Quelle: ZVEI nach PwC

Abbildung 1: Arbeitsrahmen für Industrie4.0

Dies gilt für die ganze Industrie, die etwa 15 verschiedene Branchen aufweist, wie Abbildung 2 zeigt. Schon immer war im Vergleich zum Consumer-Markt für die Hersteller automatisierungstechnischer Komponenten deren branchenübergreifender Einsatz bei schwierigen Umgebungsbedingungen eine große Herausforderung, denn nur so sind diese Komponenten in ausreichenden Stückzahlen zu akzeptablen Kosten zu fertigen. Der Kunde wünscht sich höchste Qualität zu Consumer-Preisen.

2 Smart Factory steht im Wesentlichen für die Fertigungstechnik, Smart Plant für die Verfahrenstechnik. Kombinationen beider stellen hybride Anwendungen dar.

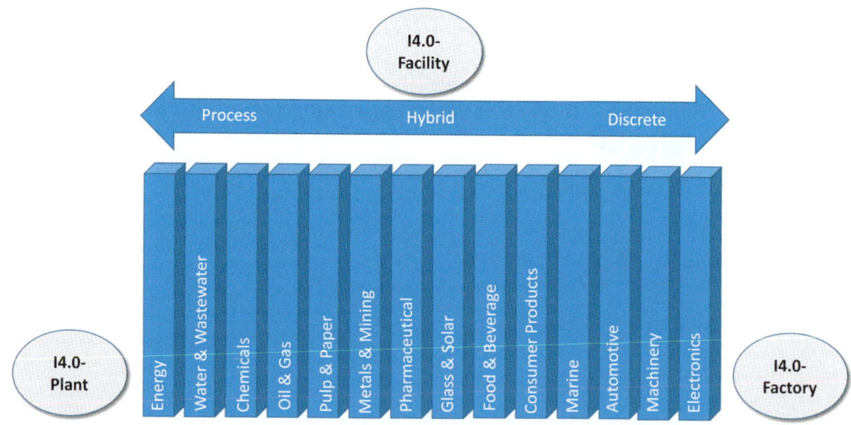

Quelle: nach Siemens

Abbildung 2: Industrie4.0 muss die Bedingungen von ca. 15 Branchen erfüllen

Unternehmensstrukturen weisen im Allgemeinen mindestens zwei Ebenen auf: den „Office Floor" mit starkem Verwaltungs- und Organisationscharakter und den „Shop Floor" zur Produktion von Produkten. Diese beiden Ebenen operieren auch heute meist noch getrennt. Das gilt für die Planung und Durchführung von Prozessen, für das Management und für Verantwortlichkeiten, was in der IT mit unterschiedlichen Datenmodellen für beide Ebenen sichtbar wird, mit der Konsequenz, dass „Durchgängigkeit" von Daten zwischen beiden Ebenen eher nicht gegeben ist. In Abbildung 3 sind beide Ebenen dargestellt, verbunden mit der Forderung nach einer prinzipiell schrankenlosen Durchgängigkeit der Informationen zwischen beiden Ebenen (Verbindungen zu beliebigen Endpunkten, gemeinsames semantisches Modell). Das ist nur möglich, wenn auf beiden Ebenen dasselbe Datenmodell für die auszutauschenden Informationen (dies ist mehr als ein reiner Datenaustausch) zum Einsatz kommt. Große Firmen können ihren Unterlieferanten ein solches Datenmodell vorgeben, kleinere nicht. Die Unterlieferanten leiden bei mehreren Kunden unter den verschiedenen Datenmodellen, denen sie alle zu genügen haben. Ein vorrangiges Ziel ist es daher, durch Industrie4.0 ein allgemein gültiges Datenmodell zu spezifizieren, das alle Geschäftspartner nutzen und damit umständliche, kostenintensive und fehleranfällige Parallelstrukturen einschließlich nötiger Überführungen entfallen. Erst die gemeinsame Semantik ermöglicht die Datendurchgängigkeit zwischen beiden Ebenen. Es bedarf somit eines Referenzarchitekturmodells, das diese Forderungen erfüllt.

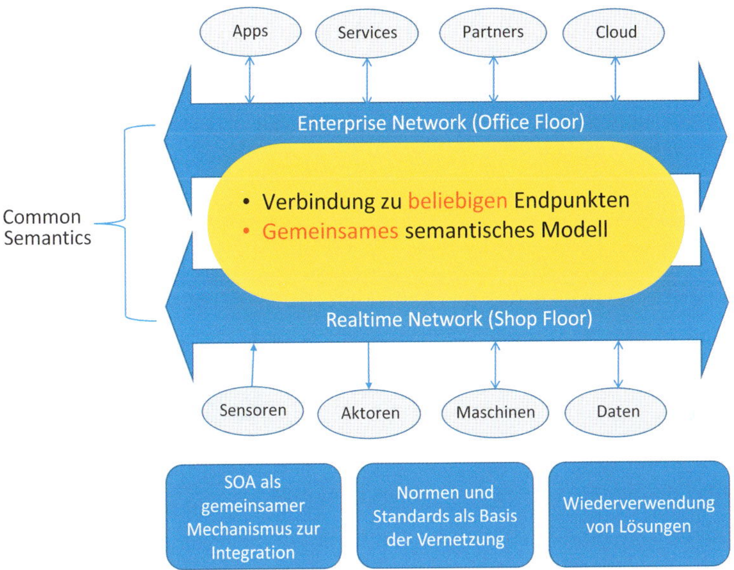

Quelle: basierend auf ZVEI

Abbildung 3: Eine gemeinsame Semantik erleichtert die Datendurchgängigkeit zwischen Shop und Office Floor erheblich

3 Die Anforderungen an ein Referenzarchitekturmodell von Industrie4.0

Dieses Kapitel untersucht, welche grundlegenden Fragenstellungen ein Referenzarchitekturmodell der Industrie4.0 adressieren sollte. Dazu wird ein Szenario einer gedachten Fertigungslinie formuliert, um die zu adressierenden Elemente in den folgenden Kapiteln zu bestimmen.

3.1 Charakteristika eines Referenzarchitekturmodells

Nach einer akzeptierten Auffassung [2] hat ein Modell auf Basis der Modelltheorie [3] grundsätzlich

- einen Zweck,
- einen Bezug zu einem Original und
- abstrahiert bestimmte Eigenschaften des Originals.

Digitale Modelle bzw. Modellperspektiven können z. B. sein:

- Datenmodell
- Zustandsmodell
- Schnittstellenmodell
- Ablaufmodell
- (physisches oder logisches) Strukturmodell

In der Informatik hilft die klassische Ingenieursmodellierung mit Gleichungen nicht weiter. Für Industrie4.0 nutzt man diskrete Modelle.

Laut Wikipedia und anderen Quellen ist eine Referenzarchitektur in der Informatik ein Referenzmodell für eine Klasse von Architekturen. Die Referenzarchitektur kann als Modellmuster – also als idealtypisches Modell für die Klasse der zu modellierenden Architekturen betrachtet werden [4]. Industrie4.0 spezifiziert mit dem Referenzarchitekturmodell Industrie4.0 nicht „die“ Architektur schlechthin, sondern lediglich den Rahmen mit Mindestanforderungen. Dazu gehört die Festlegung von Begrifflichkeiten und eine Methodik mit Regeln zur:

- Beschreibung der physischen Welt zum Zweck der Spiegelung (Reflexion) in die Informationswelt
- Spiegelung der physischen Welt in die Informationswelt
- Repräsentation der physischen Welt in der Informationswelt
- Identifikation von Komponenten
- Verbindung von Komponenten (Orchestrierung)

- Kooperation von Komponenten (Choreografie)
- Netzstruktur und Datenformat zum Informationsaustausch zwischen Komponenten
- Mindestvorgaben zur Implementierung
- und viele weitere

Ziel in Industrie4.0 ist die Schaffung einer Methodik zur koordinierten Übertragung aller *relevanten* Informationen der physischen Welt in die Informationswelt zum Zweck einer durchgehenden rechnergestützten Automatisierung, was in diesem Buch mit dem Begriff „Spiegelung“ oder Reflexion beschrieben wird. Spiegelung beschreibt den Vorgang zum Entstehen eines digitalen Abbildes der Realität in Form von Daten in der Informationswelt. Diese Daten werden nach einheitlichen Regeln strukturiert, damit eine homogene Beschreibung gewährleistet ist. Es muss also für die Informationswelt von Industrie4.0 ein einheitliches Informationsmodell spezifiziert werden, in dem die Daten eine herausragende Rolle spielen. Die Vorgaben des Referenzarchitekturmodells müssen in allen Lösungen (Anwendungen) befolgt sein, damit sich diese „Industrie4.0-konform“ verhalten. Damit ist eine grundsätzliche Übertragbarkeit von Informationen und Kopplungsfähigkeit der IT-Systeme sichergestellt. Die folgenden Kapitel widmen sich dieser Methodik.

3.2 Allgemeine Anforderungen in Industrie4.0

Bedingt durch einige Randbedingungen im Umfeld Industrie4.0 werden an die Produkte deutlich höhere Anforderungen gestellt, als dies im Consumer-Umfeld der Fall ist. Zu nennen wären beispielsweise [5]:

- IT-Sicherheit und Datenschutz
- Safety (funktionale Sicherheit)
- Zuverlässigkeit
- skalierbare Integrierbarkeit
- Interoperabilität
- transparente Vernetzung
- integrierte zuverlässige Datenverwaltung
- erweiterte Fähigkeiten der Datenanalyse
- robuste Steuerung
- Ad-hoc-Fähigkeiten und Plug-and-play

Besonders hoch sind die Anforderungen an die Security, die in Industrie4.0 kurz mit „Security by Design“ umrissen werden, denn ohne ausreichende Security wird das IoTS als Ganzes, somit auch Industrie4.0, nicht zu verwirklichen sein.

3.3 Stand der Technik

Abbildung 4 zeigt die Entwicklung der letzten 20 Jahre in Bezug auf Internetbeschreibungstechniken und die Digitalisierung von Produktinformationen. Auf der linken Seite ist die Entwicklung des Internets mit der um 1986 eingeleiteten Entwicklung zu Auszeichnungssprachen aufgezeigt. Das erste nennenswerte Ergebnis war die als ISO 8879:1986 genormte „Standard Generalized Markup Language SGML“. Damit war es für einen begrenzten Anwenderkreis möglich, bestimmte Informationen in SGML zu beschreiben. Der Durchbruch kam erst mit HTML und XML, so wie wir beide heute kennen. Während auf der IT-Seite eine kontinuierliche Fortentwicklung zur Bereitstellung und Nutzung von Informationen zu verzeichnen war, war die Produktdokumentation, selbst wenn es sich um digitale Produkte handelte, bis vor der Jahrtausendwende nur als Papier verfügbar, später auch als PDF. In beiden Fällen sind die Inhalte der Dokumente maschinell nicht auswertbar. Mit dem Hype zum elektronischen Bestellwesen („electronic business hype“) nach der Jahrtausendwende forderten Einkäufer vermehrt von ihren Lieferanten Datensätze mit Merkmalen über Preise, Rabattstaffeln und Lieferbarkeit. Seitdem werden in eCl@ss e.V. Produkte für mehr als 30 Branchen klassifiziert und mit Merkmalen versehen. [16] 2004 wurde seitens NAMUR, der Interessengemeinschaft Automatisierungstechnik der Prozessindustrie, die Merkmalsbildung für Zwecke des Engineerings von Anlagen im Konsortium PROLIST International e.V. begonnen. Die Inhalte dieses Konsortiums sind nach dessen Auflösung fast komplett in eCl@ss eingeflossen und sind in der IEC 61987-Serie international genormt.

In Abbildung 4 ist der entscheidende Schritt zur Fähigkeit der Produkte, sich selbst zu beschreiben, mit dem roten Blitz markiert. Denn nun ist es möglich, das bislang von seiner eigenen technischen Beschreibung getrennte Produkt mit seiner Beschreibung zu vereinen. Die physische Welt eines technischen Gegenstands und seine als Datensatz in der Informationswelt vorliegende Beschreibung kommen zusammen. Das bedeutet, dass ein mit Informationen über sich selbst ausgestatteter Gegenstand zur Selbstauskunft über seine eigenen Fähigkeiten in der Lage ist bzw. umgekehrt andere Gegenstände diesen Gegenstand um Auskunft über seine Fähigkeiten, Strukturen und Kommunikationseigenschaften bitten zu können (Self-X-Funktionalität).

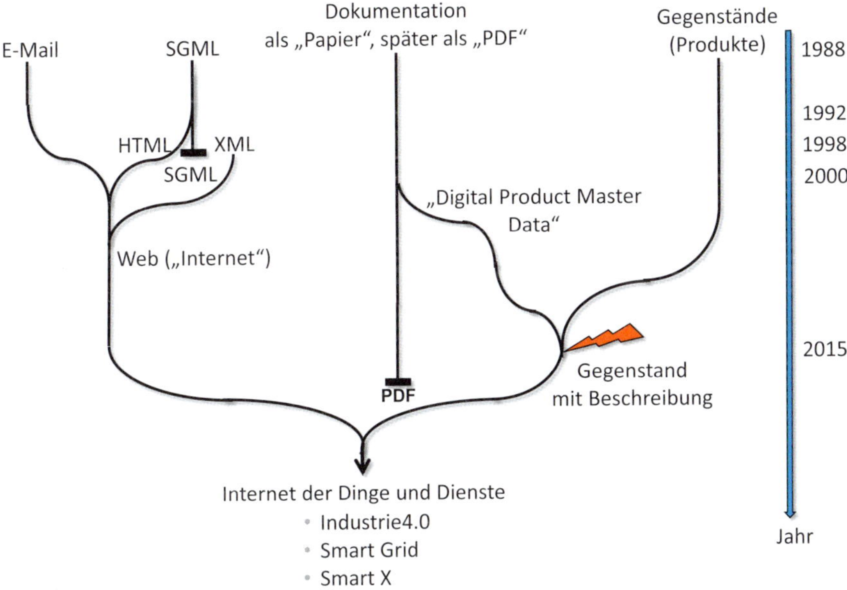

Abbildung 4: Gegenstand und seine datentechnische Beschreibung finden zueinander

Mit der Symbiose von Gegenstand und seiner maschinell verwertbaren Beschreibung entsteht etwas fundamental *Neues*. Es ist eine Komponente mit der Fähigkeit, mit anderen genauso strukturierten Komponenten auf Basis der Informationen aus der Informationswelt zu *kooperieren*. Mit der Symbiose der physischen Welt eines *technischen Gegenstands* und seiner maschinell verarbeitbaren Spezifikation der Informationswelt entsteht eine Basiskomponente für Industrie4.0, die sogenannte *I4.0-Komponente*.

Industrie4.0-Zukunftsszenarien lassen sich nach [1] mit den in den Kästen der Tabelle 1 aufgeführten Aspekten beschreiben. Damit lässt sich über Anforderungen ein Szenario beschreiben, das viele von Industrie4.0 zu erfüllende Kernfunktionalitäten enthält. Wichtige Passagen sind dabei hervorgehoben.

Tabelle 1: Industrie4.0-Zukunftsszenarien nach acatech [1]

„[...] Sie zeichnen sich durch eine **neue Intensität sozio-technischer Interaktion** aller an der Produktion beteiligten Akteure und Ressourcen aus. Im Mittelpunkt steht eine Vernetzung von autonomen, sich situativ selbst steuernden, sich selbst konfigurierenden, wissensbasierten, sensorgestützten und räumlich verteilten Produktionsressourcen (Produktionsmaschinen, Roboter, Förder- und Lagersysteme, Betriebsmittel) inklusive deren Planungs- und Steuerungssysteme. Ein Kernelement des Szenarios ist die **intelligente Fabrik**, die *Smart Factory*. Eingebettet in firmenübergreifende Wertschöpfungsnetze, zeichnet sie sich durch ein durchgängiges *Engineering* aus, das sowohl die Produktion als auch das produzierte Produkt umfasst, in dem die digitale und physische Welt nahtlos ineinandergreifen. Die *Smart Factory* ermöglicht den Menschen die Beherrschung der zunehmenden Komplexität der Produktionsabläufe und macht die Produktion attraktiv, urbanverträglich und wirtschaftlich.

In Industrie4.0 entstehen auch intelligente Produkte (*Smart Products*), die eindeutig identifizierbar und jederzeit lokalisierbar sind. Sie verfügen bereits während der Produktion über das Wissen ihres Herstellungsprozesses. Deswegen können *Smart Products* in bestimmten Industriebranchen quasi selbstständig die einzelnen Stationen ihrer Produktion ansteuern. Darüber hinaus kann gewährleistet werden, dass das fertige Produkt die Parameter seines optimalen Einsatzes und seiner Einsatzbedingungen über den Lebenszyklus seiner Verschleißerscheinungen verteilt kennt. Diese Informationen werden in Summe für die Optimierung der Smart Factory hinsichtlich der Logistik, des Einsatzes und der Wartung sowie für die Integration in die betriebswirtschaftlichen IT-Anwendungen genutzt.

In Industrie4.0-Zukunftsszenarien können individuelle kunden- und produktspezifische Kriterien beim Entwurf, der Konfiguration, Bestellung, Planung, Produktion, dem Betrieb und beim Recycling berücksichtigt werden. Selbst kurzfristige Änderungswünsche noch kurz vor oder während der Produktion und eventuell auch noch während des laufenden Betriebs können umgesetzt werden. Die Produktion von Einzelstücken und Kleinstmengen kann dadurch rentabel werden.

Die Umsetzung der Zukunftsszenarien bietet den Beschäftigten die Möglichkeit, die intelligent vernetzten Produktionsressourcen und -schritte nach situativen und kontextabhängigen Zielvorgaben zu steuern, zu regulieren und zu gestalten. Die Mitarbeiter können sich auf die kreativen, wertschöpfenden Tätigkeiten fokussieren, da sie von Routineaufgaben entlastet werden. Die Beschäftigten spielen damit die entscheidende und vor allem die qualitätssichernde Rolle. Gleichzeitig bieten flexible Arbeitsbedingungen Möglichkeiten zur verbesserten Vereinbarkeit mit individuellen Bedürfnissen. [...]"

Fasst man den Inhalt der Tabelle 1 zusammen, so ist eine flexible Fertigungslinie gefordert, in der sich die am Fertigungsprozess beteiligten Komponenten autonom aufgrund eines hereinkommenden Auftrags organisieren. Die physische Welt und die Informationswelt sollen nahtlos ineinandergreifen. Intelligente Produkte sollen eindeutig identifizierbar und lokalisierbar sein. Sie besitzen während ihrer Herstellung Wissen über ihren Herstellungsprozess. Das gefertigte Produkt besitzt einen Lebenslauf. Da eine Fertigungsanlage aus mehreren bzw. vielen solcher Produkte besteht, gilt dies auch für die Fertigungsanlage selbst.

Die Fertigung muss so flexibel sein, dass sie individuelle Produkte mit Stückzahl eins rentabel zu fertigen erlaubt. Die Menschen können sich statt stumpfsinniger Hantierungstätigkeiten den kreativen und wertschöpfenden Tätigkeiten zuwenden – unter gleichzeitiger Verbesserung der Arbeitsbedingungen. Auch wenn die beschriebenen Forderungen in ihrer Gänze heute so noch nicht realisierbar zu sein scheinen, sind doch vielversprechende Ansätze z. B. beim 3D-Druck zu erkennen.

3.4 Das Szenario „Wandlungsfähige Fabrik"

In „Industrie4.0 Ergebnispapier ‚Fortschreibung der Anwendungsszenarien'" wird aus den Forderungen der Tabelle 1 auf Seite 10 eine Reihe von Szenarien beschrieben. Eines davon ist die wandlungsfähige Fabrik. Es heißt dort u. a.: „Das Anwendungsszenario der wandlungsfähigen Fabrik beschreibt den schnellen und unter Umständen auch weitgehend automatisierten Umbau einer Fertigung, sowohl im Hinblick auf geänderte Fertigungskapazitäten als auch auf geänderte Fertigungsfähigkeiten. Ein zentrales Konzept zur Umsetzung ist ein modularer und somit wandlungsfähiger Aufbau der Produktion innerhalb einer Fabrik. Intelligente und interoperable Module, die sich weitgehend selbstständig an eine veränderte Konfiguration anpassen, und standardisierte Schnittstellen zwischen diesen Modulen ermöglichen so einen einfachen und schnellen Umbau, der sich an geänderte Markt- und Kundenanforderungen anpasst.

Während im Anwendungsszenario ‚Auftragsgesteuerte Produktion' der Schwerpunkt bei der flexiblen Nutzung existierender Fertigungseinrichtungen durch intelligente Vernetzung liegt, beschreibt dieses Szenario die Wandlungsfähigkeit einer einzelnen Fabrik durch den (physischen) Umbau. Modular aufgebaute, auftragsspezifisch wandlungsfähige Fertigungskonfigurationen gewinnen dann an Wert: Sie steigern beispielsweise die Gesamtauslastung der Fertigung oder die Lieferfähigkeit. Damit ändern sich die Anforderungen an einzelne Maschinen oder Fertigungsmodule: Wichtiger noch als eine hohe Varianz spezifischer Fertigungsvorgänge wird die prinzipielle und einfache Kombinationsfähigkeit der einzelnen Module. Um dies zu erreichen, müssen die Module eine Selbstbeschreibung im Hinblick auf die schnelle und robuste Kombinierbarkeit/Umbaubarkeit zu einer Maschine/Anlage beinhalten."

Die Analyse dieses Szenarios führt zu der Erkenntnis, dass es sich um eine adaptierbare Fertigungskonfiguration innerhalb einer Fabrik zur kurzfristigen Veränderung der Fertigungskapazitäten und Fertigungsfähigkeiten handelt. Das bedeutet, dass es in Zukunft wohl eine kombinierte MES[3]/Systemintegrator-Funktionalität geben muss, wobei die Systemintegrator-Funktionalität mit den MES-Informationen die passende Maschinenkonfiguration anhand der in einem Pool vorgehaltenen Maschinen erzeugt und die MES-Funktionalität mit Kenntnis dieser Konfiguration die eigentliche Produktion steuert. Nachfolgend soll ein solches Szenario schematisch und beispielhaft etwas detaillierter beschrieben werden. Der kombinierte MES/Systemintegrator sei des Verständnisses wegen vereinfacht „Production Manager" (PM), die einzelnen Maschinen des Maschinenpools seien „Production Units" (PU) genannt.

Die jeweils anhand eines Auftrags sich selbst konfigurierende Fertigungslinie soll die optimale Konfiguration aus PU zur Fertigung eines bestimmten Produkts erzeugen und dieses automatisiert unter Leitung eines PM fertigen. Im Kern handelt es sich dabei um ein automatisiertes Erzeugen von Kooperationsbeziehungen zwischen geeigneten ihre Fähigkeiten selbst beschreibenden PU mit anschließendem automatisiertem Ausführen von Funktionen, wobei das Produkt selbst diesen Prozess beeinflussen kann. Den Vorgang veranschaulichen die Abbildungen 5 bis 8.

Abbildung 5 zeigt den beispielhaften Pool aus PU mit einem PM. Der PM nimmt eine Fertigungsanfrage entgegen und prüft auf Basis I4.0-konformer Dienste die Fertigungsmöglichkeiten anhand der Fähigkeiten der im Pool vorhandenen PU. Diese Prüfung schließt z. B. die Verfügbarkeit der PU und deren Preis für den jeweiligen Fertigungsschritt mit ein, sodass daraus ein Auftragspreis ermittelt

3 MES = Manufacturing Execution System (IEC 62264).

werden kann (Abbildung 6), der zum Angebot an den Kunden führt. In diesen Prozess kann auch das zu fertigende Teil selbst eingreifen, z.B. wenn seine Eigenschaften einen wesentlichen Teil des Verkaufspreises ausmachen und diese preisbezogen geändert werden sollen.

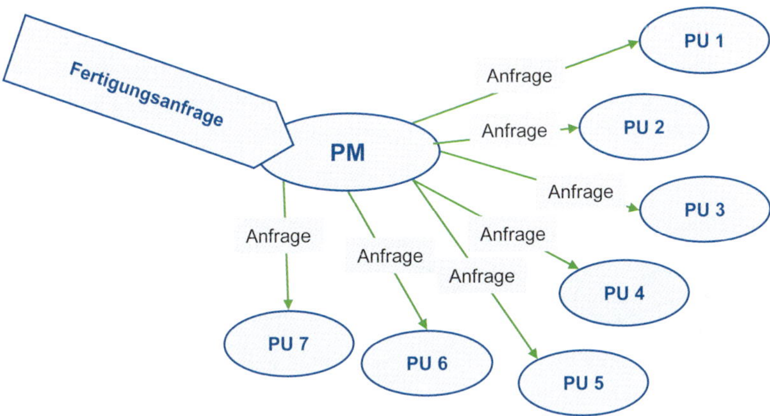

PU: I4.0-Komponente Production Unit
PM: I4.0-Komponente Production Manager

Abbildung 5: Fertigungsanfrage und Prüfung der Produktionsressourcen mit beispielhaften „Production Manager“ (PM) und „Production Units“ (PU)

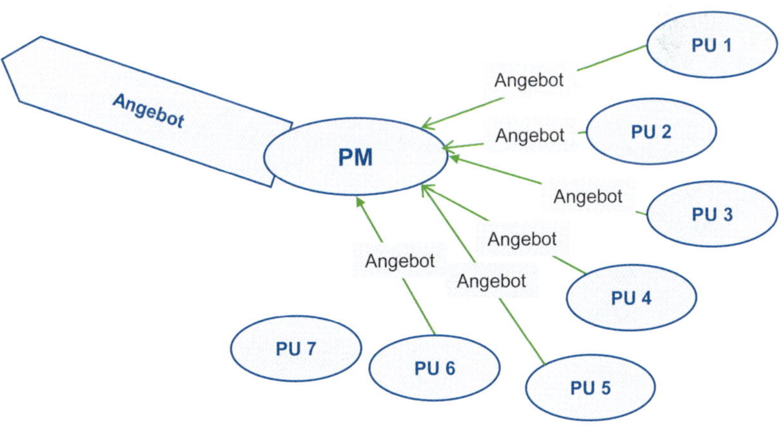

PU: I4.0-Komponente Production Unit
PM: I4.0-Komponente Production Manager

Abbildung 6: Fertigungsangebot der PU. Nicht alle PU müssen ein Angebot abgeben. Im Bild ist dies PU 7

Nach (automatischer) Klärung mit dem Kunden bzgl. aller geschäftlichen Rahmenbedingungen erteilt der Kunde den Auftrag auf Basis des verschickten Angebots (Abbildung 7), der PM verschickt eine (elektronische) Auftragsbestätigung an den Kunden und belegt die gebuchten PU mit entsprechenden Aufträgen. Auch in diesen Prozess kann das zu fertigende Teil je nach Situation selbst eingreifen.

Nach Erledigung aller Aufträge durch die PU meldet der PM Vollzug und ist für eine neue Anfrage bereit (Abbildung 8). Bei entsprechender Auslegung kann vom PM ein neuer Auftrag während der Ausführung des vorherigen bearbeitet werden.

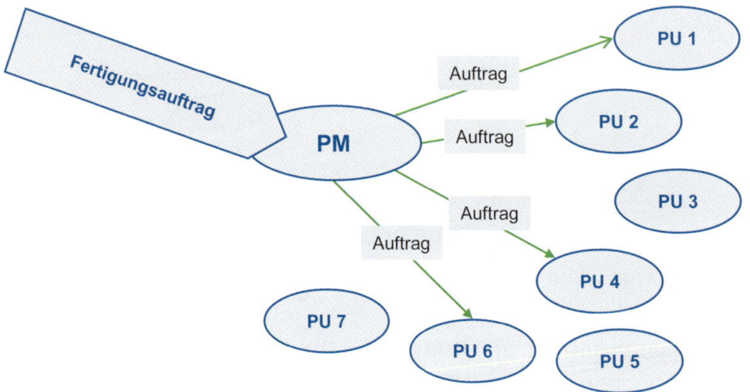

PU: I4.0-Komponente Production Unit
PM: I4.0-Komponente Production Manager

Abbildung 7: Erteilung des Fertigungsauftrags

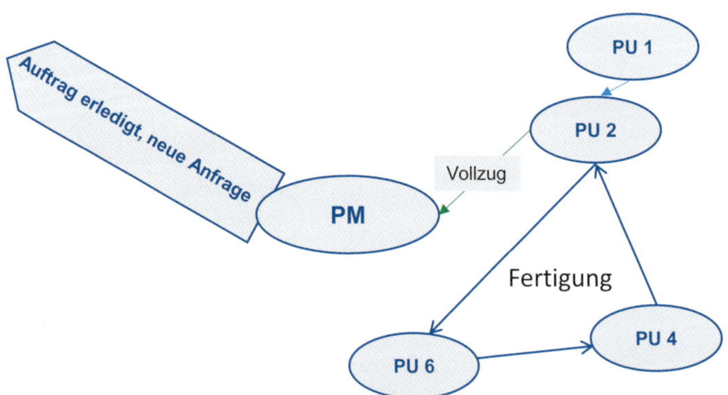

PU: I4.0-Komponente Production Unit
PM: I4.0-Komponente Production Manager

Abbildung 8: Fertigungsprozess mit Vollzugsmeldung

Wesentliche Elemente dieses beispielhaften Szenarios:

Da ist zunächst der PM als Instanz, der sich einer digitalen Anfrage nach Fertigung eines Produkts unter Kontrolle des Menschen, z. B. in Stückzahl „eins“, annimmt. Ein als Kunde auftretender Rechner benutzt einen Anfrage*dienst* des PM. Der Algorithmus des PM ermittelt die erforderlichen Fertigungsfunktionen und durchkämmt mittels Anfragen den PU-Pool (*Produktionsressourcen*) nach geeigneten und verfügbaren PU. Ist er erfolgreich und bestimmte Randbedingungen, z. B. Verfügbarkeit der PU und deren Preis pro Fertigungsschritt, sind erfüllt, und liegt die Freigabe der Verantwortlichen aus der zuständigen Abteilung vor, schickt er dem Kunden ein digitales Angebot. Nimmt der Kunde dieses Angebot an, organisieren sich die PU zu einer Fertigungslinie, fertigen das Produkt und melden dem PM Vollzug. Dieser stößt daraufhin die kaufmännischen Prozesse des Unternehmens auf der Unternehmensebene an, die in die Lieferung des gefertigten Produkts und dem Inkasso dafür mündet.

Es sind umfangreiche Prozesse nötig, um zu einer kollaborativen Plattform *Mensch-Maschine-Maschine* zu kommen. Der Mensch ist sowohl ein Teil der Fertigungslinie als auch der Überwacher der Vorgänge.

Anforderungen an die Technik von Industrie4.0:

- Die Anfrage an den PM und die PU erfolgt u. a. zur Realisierung der Self-X-Funktionalität bei allen Komponenten von Industrie4.0 *serviceorientiert*, es sollte eine serviceorientierte Architektur zum Einsatz kommen.
- Nicht nur die PU koordinieren sich während des Fertigungsprozesses untereinander, sondern der PM und das zu fertigende Produkt können die Abläufe beeinflussen.
- Im PM sind sowohl ERP-[4]Funktionen des Office Floors als auch MES- und Systemintegrator-Funktionen des Shop Floors vereint.
- Der *Mensch ist Teil der Industrie4.0-Welt*; er wird von dauernd wiederkehrenden stupiden Arbeiten entlastet und prüft in übergeordneten Ebenen die Abläufe und Ergebnisse.
- Das *intelligente Produkt*, das „Smart Product“, ist eindeutig *identifizierbar* und jederzeit *lokalisierbar*, besitzt einen *Lebenslauf (Vita)* und unterstützt aktiv sowohl seine Fertigung als auch seine Nutzung. Da solche Produkte auch als Komponenten in der Fertigungsanlage in großer Zahl verbaut sind, gilt dies auch für die Komponenten der Fertigungsanlage selbst und auch für die Fertigungsanlage als Ganzes.

4 ERP = Enterprise Ressource Planning.

- Um die flexible Fertigungslinie aufbauen und dann in Arbeitsteilung fertigen zu können, müssen die Komponenten einer Anordnung miteinander kooperieren. Damit physische Welt und Informationswelt nahtlos ineinandergreifen, bedarf es einer *Methodik*, diese miteinander zu verbinden. Es bedarf Regeln zur *Spiegelung relevanter Informationen der physischen Welt in die Informationswelt*, d. h. ein *Koppelmechanismus zwischen den Abläufen in der physischen Welt und denen in der Informationswelt* ist erforderlich.
- Alle relevanten Komponenten müssen Anfragen bezüglich ihrer Fähigkeiten und Funktionen entgegennehmen und beantworten können (*Self-X-Funktionalität*).
- Die Abwicklung des Kommunikationsverkehrs muss mit einem geeigneten *digitalen Kommunikationssystem* I4.0-konform erfolgen.
- Die relevanten Komponenten müssen lokalisierbar und mit einem eindeutigen Identifikator, Ortsinformation und Zeitinformation versehen sein.

Die allgemeinen Randbedingungen für Industrieanlagen müssen erfüllt werden, wozu auch Safety, Functional Safety und insbesondere *Security* gehören.

4 Merkmalsprinzip

Die Anwendung von Merkmalen zur Beschreibung von Eigenschaften in der physischen Welt und deren datentechnische Repräsentation in der Informationswelt wird Merkmalsprinzip (engl. Property Principle) genannt. Dies stellt eine ganz wesentliche Voraussetzung zur Spiegelung der physischen Welt in die Informationswelt und zur Realisierung von Self-X-Funktionalitäten dar. Daher ist es wichtig, die Anwendung des Prinzips näher zu betrachten.

4.1 Beschreibung der physischen und der Informationswelt

4.1.1 Begriffe

Die physische Welt besteht aus Gegenständen, die in Industrie4.0 „Gegenstände von Wert", sogenannte Assets sind. Ein Asset wird fassbar, indem es mit einem „Namen", einem Begriff versehen wird, der durch Merkmale charakterisiert ist. Ein Begriff ist durch folgende Eigenschaften gekennzeichnet:

- Begriffsbezeichnung (Name, z. B. Assetname), oft nur „Begriff" genannt
- Begriffsdefinition
- Eigenschaft(en)

Ein Asset der physischen Welt ist durch einen Begriff bezeichnet und dieser ist durch klar definierte Merkmale, z. B. „Länge", „Breite", „Höhe" , „Farbe", charakterisiert (Abbildung 9).

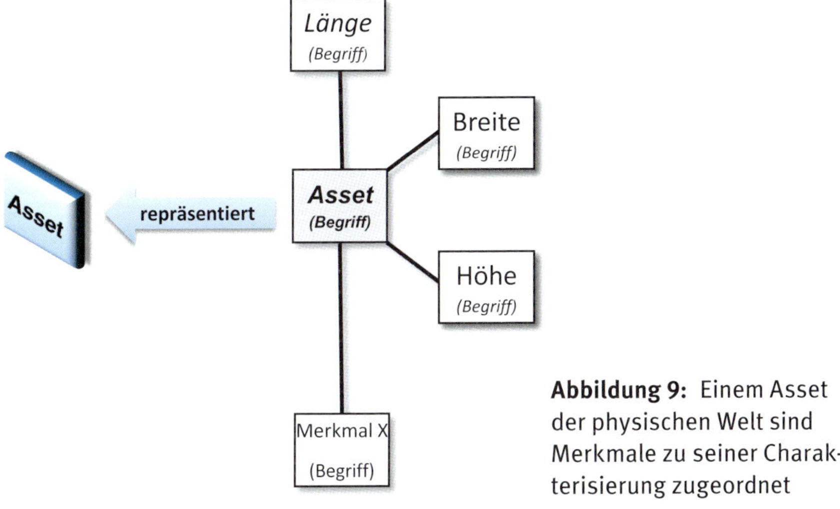

Abbildung 9: Einem Asset der physischen Welt sind Merkmale zu seiner Charakterisierung zugeordnet

Um eine Spiegelung in die Informationswelt vornehmen zu können, bedarf es der Charakterisierung der Assets mittels Begriffen. Sowohl das durch den Begriff bezeichnete Asset als auch seine Charakteristik müssen in der Informationswelt datentechnisch dargestellt sein. Die Methodik zur Charakterisierung eines Gegenstands mittels Merkmalen wird in Industrie4.0 Merkmalsprinzip genannt.

4.1.2 Merkmale

Ein *Merkmal* (engl. Property) ist durch folgende Eigenschaften charakterisiert:

- Begriffsbezeichnung (Name), oft nur „Begriff“ genannt
- Identifikator (Code)
- Begriffsdefinition
- (binäre) datentechnische Repräsentation der Eigenschaft(en) mit Attributen und Referenzen
- Bei der Merkmalsdefinition (Merkmals-Typ) wird dem Attribut kein Wert zugewiesen. Bei der Merkmals-Instanz ist das Attribut mit einem Wert belegt.

Folglich besteht ein Merkmal in der Informationswelt aus mindestens einem Begriff (-Bezeichner) mit einem zugeordneten Identifikator.

Um einen Gegenstand als Asset in Industrie4.0 verwenden zu können, bedarf es seiner Beschreibung in der Informationswelt mittels maschinenverarbeitbaren Merkmalen (so wie es Abbildung 10 darstellt).

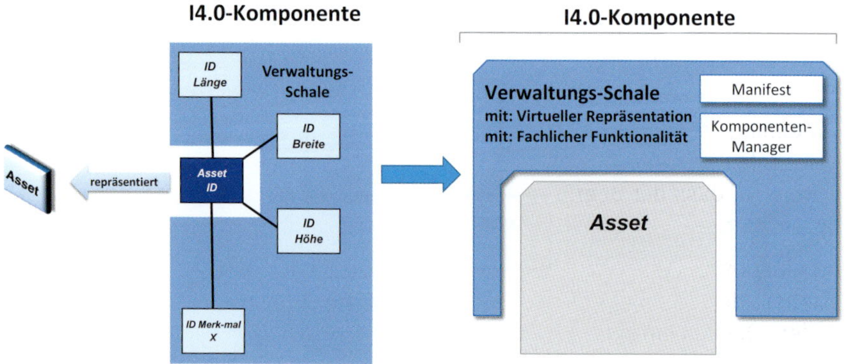

Quelle: ZVEI SG Modelle und Standards

Abbildung 10: Die ein Asset charakterisierenden Merkmale der physischen Welt werden für die Informationswelt in der Verwaltungsschale der I4.0-Komponente mit ihren Identifikatoren (IDs) abgelegt. Rechts die allgemeine Darstellung einer I4.0-Komponente

Das Asset der physischen Welt und seine informationstechnische Darstellung in der Informationswelt in Form der Verwaltungsschale bilden zusammen die I4.0-Komponente (Abbildung 10, linke Seite). Auf der rechten Seite dieser Abbildung ist die verallgemeinerte Form der Darstellung einer I4.0-Komponente mit Komponentenmanager und Manifest als feste Bestandteile einer Verwaltungsschale abgebildet.

HINWEIS

Der Begriff „Verwaltungsschale" ist von der Vorstellung geprägt, dass die Informationswelt das Asset wie eine Schale umfasst.

4.2 Merkmale in Industrie4.0

Die Erzeugung von Merkmalen aus Begriffen erfolgt in zwei Schritten:

1) Auflistung der für die Industrie4.0-Anwendungen relevanten Charakteristiken eines Gegenstands
2) Erzeugung von Merkmalen und Identifikatoren aus den Charakteristika ohne oder mit Wert(en), wobei Merkmale ohne Werte-Zuweisung „Merkmals-Typen", Merkmale mit Werte-Zuweisung „Merkmals-Instanzen" darstellen.

Zunächst werden die Charakteristika eines realen Gegenstands mit Begriffen belegt. Ein Merkmal im Sinn von Industrie4.0 entsteht, wenn ein Begriff datentechnisch als Merkmal nach den Zwillingsnormen IEC 61360 bzw. ISO 13584-42 spezifiziert wird. Es beschreibt damit eine spezifische Eigenschaft eines Assets der physischen Welt in der Informationswelt. Wird wie in Industrie4.0 dafür gesorgt, dass ein Begriff in der Domain von Industrie4.0 semantisch nur einmal vorkommt, ist innerhalb dieser Domain dann semantische Eindeutigkeit über den eindeutigen Identifikator gegeben. Eine Produktionseinheit der Industrie4.0 weiß also, dass der Begriff „Jaguar" das zu produzierende Auto, nicht das Tier bezeichnet.

Als Merkmale, die diese Anforderungen erfüllen, kommen Merkmale aus eCl@ss, dem IEC 61360 Common Data Dictionary (IEC 61360 CDD) und einige andere Quellen infrage.

Es ist im Rahmen dieses Buchs nicht möglich, die Merkmalsbildung erschöpfend zu behandeln. Es ist aber erforderlich, sich einige grundsätzliche Regeln des Datenmodells zur Merkmalbildung gemäß IEC 61360/ISO 13584 vor Augen zu führen.

4.2.1 Spezifikation von Merkmalen für Industrie4.0

Folgende Voraussetzungen müssen zur Beschreibung der Charakteristika eines Assets gegeben sein:

1) Die Semantik eines Merkmals muss definiert sein. Ein Merkmal darf in einer Domain nur einmal vorkommen. Ohne Normung bzw. Standardisierung geht dies nicht. In Deutschland stellt z. B. eCl@ss e. V. eine umfassende branchenübergreifende Bibliothek mit Identifikatoren zur Verfügung. Auf internationaler Ebene bietet IEC mit dem „IEC 61360 Common Data Dictionary“ (IEC CDD) eine internationale Plattform für elektrotechnische Anwendungen an. eCl@ss und IEC haben Vereinbarungen zu einer Zusammenarbeit getroffen.
2) Die datentechnische Repräsentation der Eigenschaft eines Assets ist das Merkmal, engl. property (in IEC 61360 „data element“ genannt). Ein Merkmal wird nach genormten Regeln gebildet. Merkmale in eCl@ss und in IEC sind bezüglich ihrer datentechnischen Repräsentation nach IEC 61360-1/2 spezifiziert, Merkmale von ISO-Arbeitsgruppen nutzen ISO 13584-42 mit nachgewiesen identischem Ergebnis. Jedes einzelne Merkmal ist mittels Attributen beschrieben. IEC 61360-1/2 bzw. ISO 13584-42 führen eine größere Zahl von Attributen auf, von denen die der Abbildung 11 als Mindestattribute anzusehen sind.

Ein wesentliches Attribut der IEC 61360/ISO 13584-Methodik ist der eindeutige *Identifikator*, der sogenannte Code mit zugeordnetem *Begriff (Namen* bzw. preferred name) und seiner zugehörigen Definition. Damit steht die Eigenschaft des Assets als Merkmal zur Verfügung und ist unter dem zugeteilten eindeutigen *Identifikator* (in der Norm als Code bezeichnet) abrufbar.

Neben den Pflicht-Attributen (m = mandatory) sind auch optionale Attribute (o = optional) möglich. Außerdem gibt es Merkmale, die an eine (oder mehrere) Bedingung(en) geknüpft sind (c = conditional). In einem speziellen Attribut wird in diesem Fall auf diese Bedingung verwiesen.

Da ein Merkmal eine spezifische Eigenschaft eines Assets in der physischen Welt beschreibt, die sich in der Informationswelt als „Wert“ präsentiert, gehört die Zuweisung eines Datentyps zu den Pflichtangaben, um semantische Eindeutigkeit zu gewährleisten.

Versionsnummer und Revisionsnummer sind ebenfalls Pflichtangaben. Daneben gibt es die Möglichkeit, Synonyme für den Namen anzugeben (optional). Falls die Quelle der Definition eine Norm oder ein Standard ist, kann diese Information im Feld „Source document of data element type definition“ hinterlegt werden (optional).

	m/o/c	Attribute	Value Example
Identifikator	m	Code	AAE254
	m	Version number	005
	m	Revision number	02
	m	Value format	Real
	m	Data element type class	E01
Begriff	m	Preferred name	LOW-state output current
	o	Synonymus name	output sink
Definition	m	Definition	The minimum guaranteed LOW-state dc output current (in A) of a digital function of an IC .....
	o	Source document of data element type definition	IEC748-2 (III.5.3.1)(1985)
	o	Unit of measure	A >> link to Units
	o	Formula	......
	o	Figure	......
		....	......

Mindest-Attribute

Quelle: IEC 61360

Abbildung 11: IEC 61360, Attribute eines Merkmals (Auszug)

Manchen Begriffen sind Einheiten zugeordnet,[5] beispielsweise wird Spannung in Volt gemessen, Länge in Metern oder Millimetern. Für den Fall, dass mehrere Einheiten angegeben werden müssen, ist auch die Angabe einer alternativen Einheit möglich (z.B. Meter und Inch). Zur Vermeidung von sehr großen oder sehr kleinen Zahlen ist auch die Festlegung von Präfixen bei den Einheiten von Bedeutung (z.B. Nano, Milli, Mega, Giga).

Das optionale Attribut „Figure“ bietet die Möglichkeit, einen Sachverhalt in grafischer Darstellung abzurufen, z.B. über einen Link auf eine CAD-Zeichnung. Ein Beispiel könnte das Merkmal „Schraubenlänge“ sein. Diese wird bei Senkkopfschrauben von Kopfanfang bis Ende des Gewindes gemessen, bei Maschinenschrauben jedoch ohne Kopf. Bei diesem Sachverhalt hilft eine grafische Darstellung (Zeichnung), um Missdeutungen zu vermeiden.

Das optionale Element „Formula“ erlaubt es, eine Formel zu hinterlegen. Bei dem Beispiel Schraube kann man z.B. das Verhältnis von Länge zu Durchmesser so in eine Formel kleiden, sodass beim Unterschreiten eines definierten Grenzwertes eine Schraube als kurze Schraube angesehen wird.

5 Die datentechnische Repräsentation von Einheiten mit ihren Identifikatoren findet sich in IEC/TS 62720.

Über das optionale Feld „Source document of definition" wird die Verbindlichkeit der Definition durch Angabe einer möglichst „seriösen" Quelle (ggf. mit Link zur Quelle) hinterlegt. Gelegentlich wird dieses Attribut auch dazu benutzt, einen Link zu anderen Orten mit Informationen einzutragen, z. B. zu einer Datei mit den tatsächlichen Fertigungsdaten eines Gehäuses, das mit den Mitteln der Norm ISO 10303 in STEP Express beschrieben ist.

4.2.2 Merkmalwerte

Der Wert eines Merkmals wird von einer Schnittstelle zur Verfügung gestellt. In Industrie4.0 ist es ein Application Programming Interface (API) für die I4.0-konforme Kommunikation.

Die Semantik der Schnittstelle ist durch Folgendes charakterisiert:

- Eindeutigkeit
- Präzision
- Beherrschung von Synonymen
- Sprachunabhängigkeit

Eindeutigkeit: Die Kreativität eines Entwicklers/Konstrukteurs kommt gelegentlich auch durch die Schaffung ständig neuer Begriffe zum Ausdruck. Damit werden immer wieder neue Merkmale eingeführt, obwohl es schon eindeutige Merkmale für dieselbe Sache gibt, oder es werden mit branchenspezifischen Terminologien neue Begriffe eingeführt. Wichtig ist, dass folgender Grundsatz eingehalten wird: Jedes Merkmal muss bezüglich seiner Semantik im Gesamtsystem eindeutig sein. Dies wird mittels eindeutiger Identifikatoren (Codes) realisiert, die vor der Einführung eines jeden neuen Merkmals (auch bei nahezu identischer Semantik) erzeugt werden müssen. Für diese Aufgabe haben namhafte Ersteller standardisierter Merkmale (z. B. IEC CDD und eCl@ss) eine „Clearing-Instanz" geschaffen.

Präzision: Oft sind aus bestimmten Gründen Begriffe, die die Merkmalsnamen beschreiben, zusammengesetzt. Abbildung 12 zeigt auf der linken Seite ein solches Beispiel. Hier ist der Begriff Nennspannung mit einer Frequenzangabe vereint, obwohl zwei unterschiedliche Begriffe dafür besser wären, weil ansonsten im operativen Betrieb Rechenoperationen zur Separierung der Informationen erforderlich wären, was Rechenzeit und Programmieraufwand bedeutet. Im mittleren Teil des Bildes sind die Begriffe separat aufgeführt, was sich rechts in zwei Merkmalen widerspiegelt. Die Wahl des daraus „geeigneten" – also präzisen – Merkmalnamens kann entscheidend für eine nachfolgende einfache Nutzung des Merkmals sein.

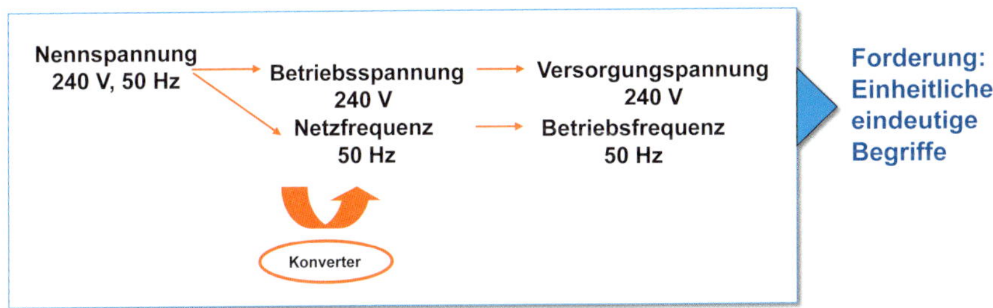

Abbildung 12: Beispiel für eine fehlende semantische Eindeutigkeit anhand des Begriffs „Nennspannung“

Beherrschung von Synonymen: Beispiel: Es ist eine immer wieder auftauchende Frage, ob Betriebsspannung und Versorgungsspannung bzw. Netzfrequenz und Betriebsfrequenz semantisch identisch sind oder ob nicht noch andere, nicht explizit ausgeführte Bedeutungen vorhanden sind. Die Aufgabe, Begriffe auf Identität und Eindeutigkeit zu bewerten, kann ein Computer zumindest heute nicht vollumfänglich und wirtschaftlich übernehmen. Daher ist dies Aufgabe von Experten.

Sprachunabhängigkeit: Ein mit einem eindeutigen Identifikator (Code) versehener Begriff muss oft in verschiedenen Sprachen zur Verfügung stehen und deshalb übersetzt werden. Oft kann dies nur ein Fachexperte aus dem jeweiligen Sprachraum. Abbildung 13 zeigt diesen Sachverhalt an einem Beispiel. Zentrales Element ist der eindeutige Code. Diesem werden die Übersetzungen des Merkmalnamens mit derselben Semantik zugeordnet.

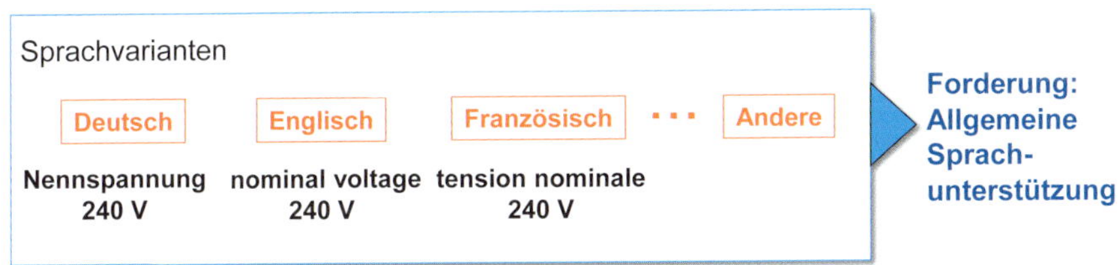

Abbildung 13: Unterstützung von Sprachversionen

> **HINWEIS**
>
> Aufgrund der Nutzung von Merkmalen mit definierter Semantik zusammen mit einheitlich spezifizierten Formaten sind alle diese Informationen anbietenden Schnittstellen harmonisiert. Damit entfällt ein wesentliches informa-

tisches Hindernis: Die Wandlung der von verschiedenen Schnittstellen angebotenen unterschiedlichen Semantik durch in der Zahl quadratisch steigenden „Umsetzungs-Gateways".

4.2.3 Strukturierte Verwendung von Merkmalen

Wie die Ausführungen gezeigt haben, steckt Aufwand in der Spezifikation der Merkmale für Assets im Umfeld von Industrie4.0, die im Gegensatz zu Gegenständen des täglichen Lebens auch in der physischen Welt bislang nur sehr rudimentär, z. B. für Kataloge, definiert sind. Wenn sie für ein Produkt umfassend existieren, sind sie meist hersteller- oder gar produktspezifisch ausgeprägt. Zwar hat man nicht zuletzt aufgrund der Arbeiten in der Plattform Industrie4.0 erkannt, dass Merkmale mit eindeutiger Semantik von fundamentaler Bedeutung für eine Spiegelung in die Informationswelt sind, die Informatik hat aber bei Weitem noch nicht alle Probleme in diesem Umfeld gelöst, z. B. Fragen der Datendarstellung und Formate. Einen großen Schritt ist man in der zweiten Ausgabe der Zwillingsnormen IEC 61360 bzw. ISO 13584-42 mit Einführung folgender, an die Informatik angelehnten Konstrukte vorangekommen:

- Block (Gruppe)
- Kardinalität
- Polymorphismus und
- „Case_of"

Alle beschriebenen Konstrukte können miteinander kombiniert werden.

Das Konstrukt „**Block**", auch manchmal als „Gruppe" bezeichnet (Abbildung 14), erlaubt es, eine Sammlung von Merkmalen zu einem Block zu erklären und diese Sammlung dann mit einem Blocknamen zu belegen. Die Erzeugung eines Blocks ist dann sinnvoll, wenn sie als Sammlung häufiger Anwendung findet. Ein Beispiel ist ein Asset-Gehäuse mit den Merkmalen „Länge", „Breite" und „Höhe". Wird dieses als Block „Gehäuse" hinterlegt, kann auf den Block jedes Mal direkt referenziert werden, wenn ein Asset ein Gehäuse besitzt.

„Kardinalität:" Abbildung 15 zeigt, dass es möglich ist, Merkmale, die wiederholt vorkommen, einmalig zu hinterlegen. Z. B.: Ein Prozessanschluss in einem Regelventil ist zweimal vorhanden. Der Prozessanschluss besitzt dann die Kardinalität „2". Als *datentechnisches* Ergebnis wird er mit seinen zugeordneten *Merkmalen* zwei Mal angelegt.

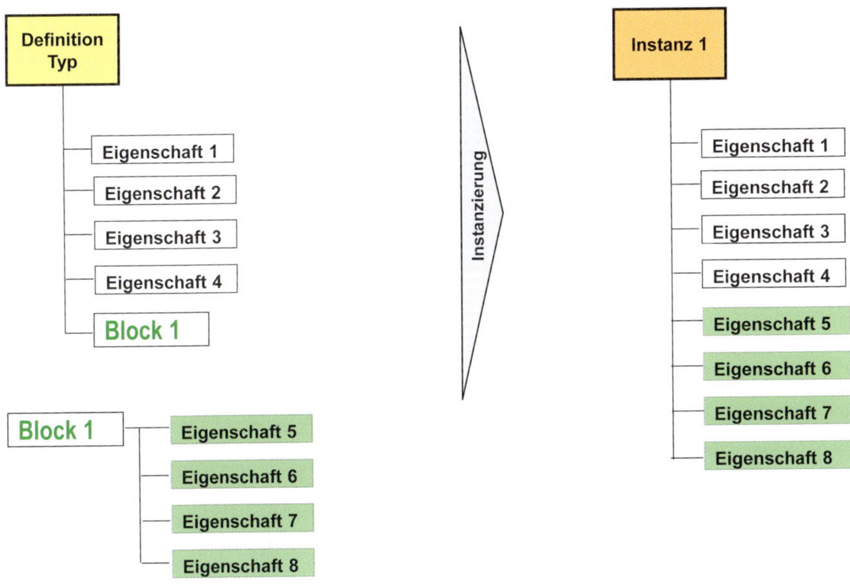

Abbildung 14: Beispiel Typdefinition „Block“

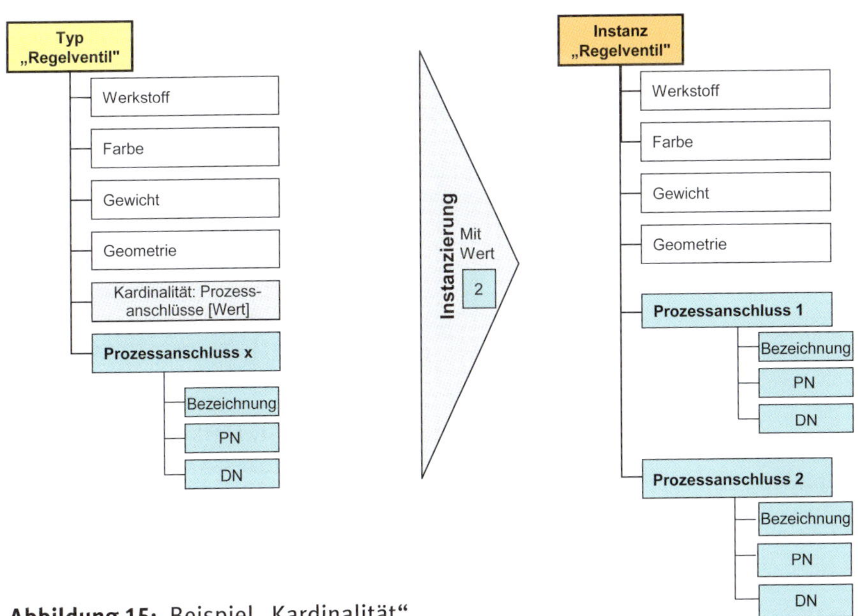

Abbildung 15: Beispiel „Kardinalität“

„Polymorphismus:“ Abbildung 16 zeigt, dass es möglich ist, Merkmale für unterschiedliche Anwendungsvarianten bereitzustellen. Angenommen: Ein Asset „Regelventil“ hat zwei alternative Prozessanschlüsse; beide Alternativen beschreiben das Produkt vollständig als Regelventil. Der Polymorphismus ist das Beschreibungsmittel, diese Alternativen zu charakterisieren. Einmal ist das Merkmal A (Prozessanschluss A), das andere Mal das Merkmal B (Prozessanschluss B) gültig.

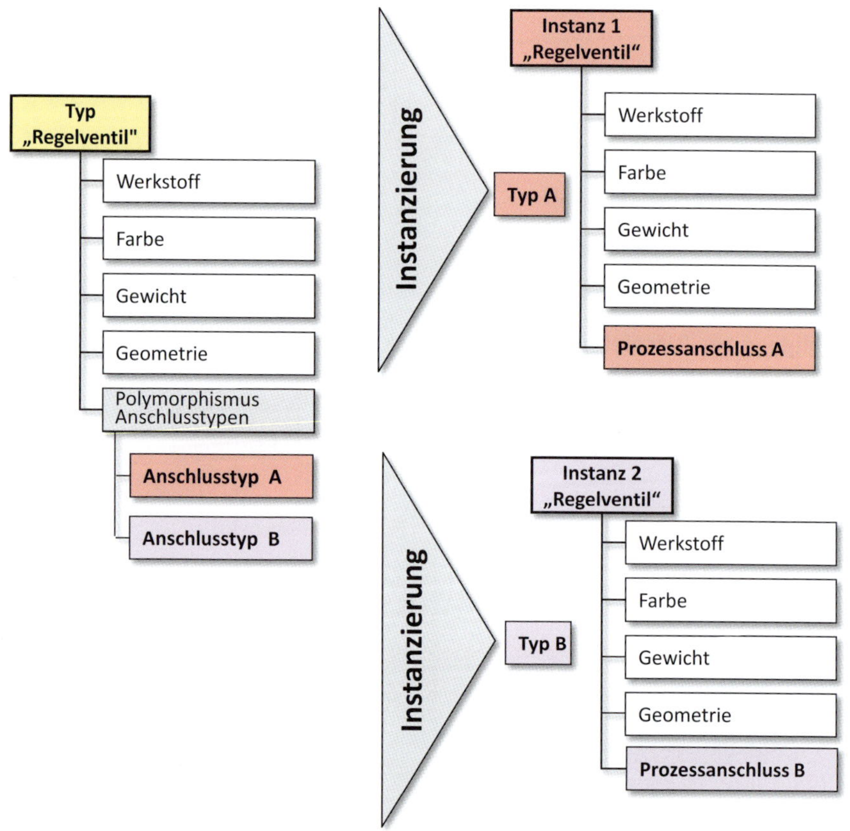

Abbildung 16: Typdefinition „Polymorphismus“ am Beispiel eines Regelventils mit zwei alternativen Anschlüssen

„Case of“: Abbildung 17 zeigt eine mögliche Verbindung in andere Geräte bzw. Domänen mit verwendeten Merkmalen, Blöcken usw. *Beispiel:* Ein mobiles Gerät der Automatisierungstechnik, das Batterien enthält, die z. B. in einer anderen Domäne als „Zubehör“ beschrieben sind, auf die mit „Case of“ referenziert wird.

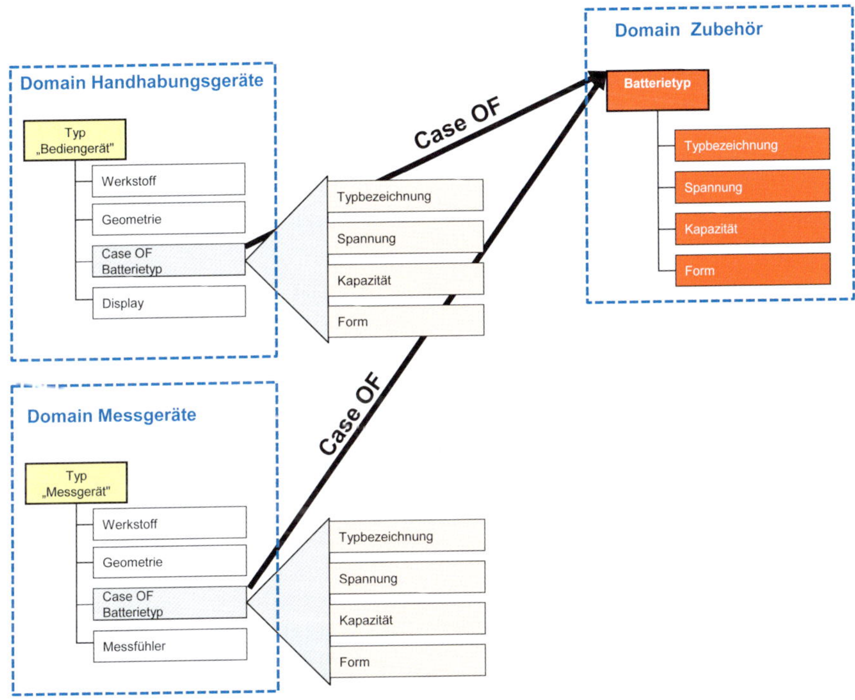

Abbildung 17: Mit dem Konstrukt „Case of“ ist der Verweis auf Beschreibungen anderer Domänen möglich

4.2.4 Merkmalslisten (List of Properties) für verschiedene Prozesse und Prozessphasen

IEC 61987-10 beschreibt in Grundzügen den Beschaffungsprozess von Komponenten in Verbindung mit einem Engineering-Prozess und künftigen Wartungsprozessen. Dabei bündelt man Merkmale für bestimmte Zwecke in Merkmallisten (List of Properties (LOP)). IEC 61987-10 führt folgende LOP auf:

- Administrative List of Properties (ALOP)
- Operating List of Properties (OLOP)

- Device List of Properties (DLOP)
- Commercial List of Properties (CLOP)
- LOP types for composite devices
- Additional types of Lists of Properties

Abbildung 18 zeigt die Verwendung verschiedener Listen in den verschiedenen Phasen des Engineering-Prozesses, unabhängig davon, ob er automatisch im Kontext von Industrie4.0 oder manuell durchgeführt wird. Dabei sind die in der jeweiligen Phase genutzten Listen grau hinterlegt.

Da das Engineering eine herausragende Rolle innerhalb der Lebensphasen einer Anlage darstellt, wird die Verwendung dieser Listen aus Abbildung 18 anhand eines exemplarischen Engineering der Workflows beschrieben, den Abbildung 19 zeigt.

Ein in der Norm IEC 61987-10 als „Customer a“ beschriebener Anlagendesigner listet zunächst die prinzipiellen Eigenschaften, Umgebungsbedingungen und Anforderungen an die geplante Anlage auf (Preliminary Engineering) und erstellt daraus ein „Pflichtenheft“. Dieses besteht aus einer ALOP1 mit Informationen allgemeiner Art, einer OLOP1 mit Informationen zur Verwendung der jeweiligen Komponente und einer DLOP1 mit den für die Anlage erforderlichen Komponenteneigenschaften. Diese Listen werden dem „Supplier x“ elektronisch

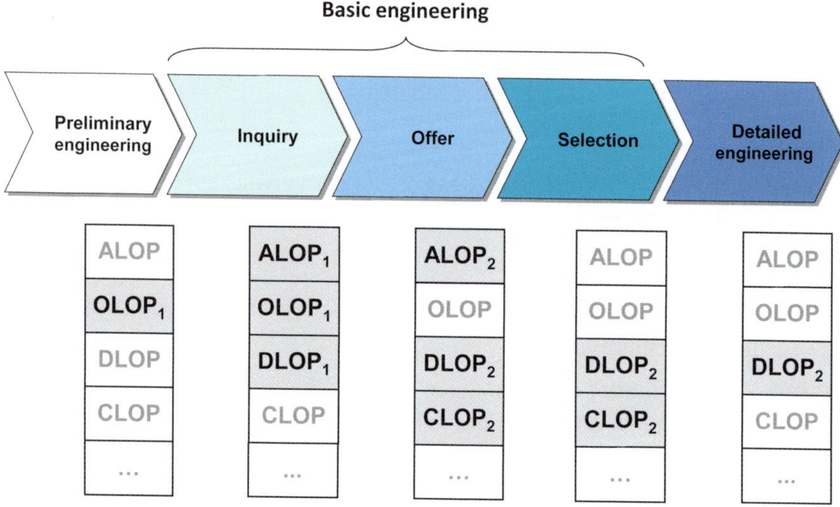

Abbildung 18: Nutzung der LOP-Typen in verschiedenen Stadien eines schematischen Engineeringprozesses nach IEC 61987-10

übermittelt (Inquiry). Hersteller von Komponenten (Supplier), die in der Anlage zum Einsatz kommen könnten, erzeugen für ihr Produkt eine datentechnische Beschreibung auf Basis einer ALOP, einer OLOP2, einer CLOP2 und einer DLOP2. Diese Beschreibungen sind im Kontext von Industrie4.0 Inhalte der Verwaltungsschalen zweier *virtueller* I4.0-Komponenten: der „Inquiry"-I4.0-Komponente und der „Offer"-I4.0-Komponente. Dabei repräsentiert die bei der Spezifikation der Anlage entstandene „Inquiry-I4.0-Komponente" (Wunsch) die angefragten Eigenschaften einer Komponente und die vom Hersteller zur Verfügung gestellte „Offer-I4.0-Komponente" (Angebot) die Antwort.[6] Der gesamte Vorgang der Übermittlung und Prüfung auf Erfüllung der geforderten Eigenschaften soll künftig automatisch, mindestens aber halbautomatisch mit möglichst wenig manueller Tätigkeit erfolgen. Dies bedeutet, dass Einkaufsalgorithmen künftig eine automatisierte Prüfung auf Übereinstimmung der zu einem Produkt angefragten Eigenschaften mit den Fähigkeiten der Produktfamilie eines Herstellers vornehmen werden. Kommt ein solcher Algorithmus zu dem Schluss,

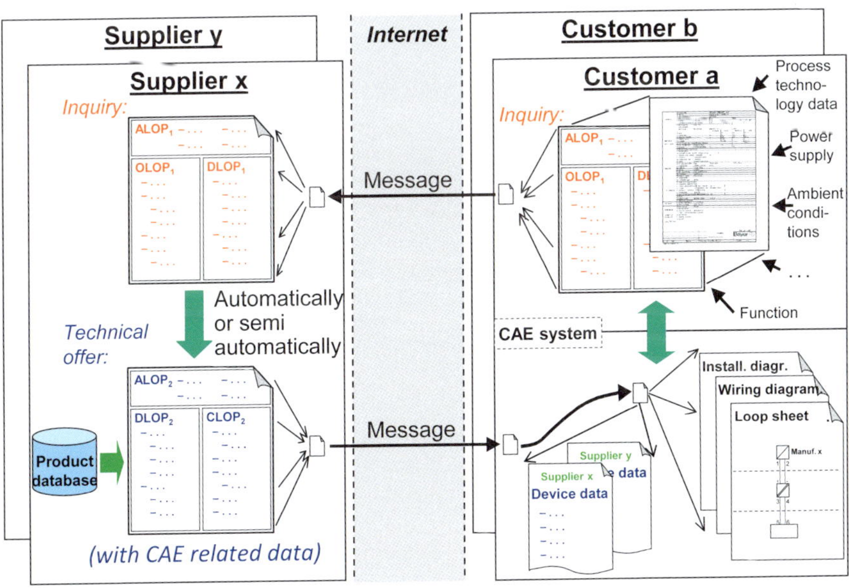

Abbildung 19: Beispielhafter Workflow in einem Engineering-Prozess nach IEC 61987-10

6 Bei geeigneter Strukturierung kann die natürlich auch als eine Erweiterung einer I4.0-Komponente aufgefasst werden.

dass ein passendes Produkt angeboten werden kann, erfolgt das konkrete elektronische Angebot mit den dem jeweiligen Produkt zugehörigen und gegenüber den Inquiry-LOPs wertekorrigierten LOPs (Offer). „Customer a“ startet nun den Produktauswahlalgorithmus zur Auswahl aus den unterschiedlichen Angeboten (Selection), denn während des Einkaufs-Prozesses sind höchstwahrscheinlich mehrere Angebote verschiedener Hersteller elektronisch beim „Customer a“ eingegangen. Mit dem Kauf durch „Customer a“ ist neben dem eigentlichen Engineering die Ablage einer Reihe von Informationen in verschiedenen Systemen des „Customer a“ (z. B. des Anlagenbetreibers) verbunden, um Installation, Betrieb und Wartung sicherzustellen, d. h. es entsteht eine Reihe zweckmäßiger Verwaltungsschalen zu den nun konkret gekauften I4.0-Komponenten.

5 Aspekte eines Assets in Industrie4.0

Nach der Betrachtung der Methodik zur Beschreibung der Eigenschaften von Assets mittels Merkmalen einschließlich deren Verwendung erfolgt nachstehend ein Blick auf das Asset selbst und seiner Stellung in der physischen Welt.

5.1 Grundlegende Überlegungen

In VDI/GMA 7.20 „Cyber Physical Systems“ befasste man sich früh mit den Bestandteilen einer Anordnung, wenn auch zu diesem Zeitpunkt nur mit „intelligenten“ Komponenten, also mit Mikroprozessoren bestückten und kommunikationsfähigen Produkten. Später befasste sich die Arbeitsgruppe VDI/GMA 7.21 „Industrie4.0“ mit den theoretischen Grundlagen zur Repräsentation eines beliebigen technischen Gegenstands und damit auch mit den „unintelligenten“ Produkten, z. B. mechanischen Komponenten ohne Kommunikationsanschluss.

Für einen Gegenstand von Wert (Asset) in Industrie4.0 gilt:

1) Ein Asset kann eine Idee, eine Software, ein Archiv, ein Dienst oder ein beliebiger physischer Gegenstand sein (ist also nicht an seine physische Existenz gebunden).
2) Ein Asset ist in der virtuellen Welt durch seine Repräsentation in der Informationswelt (Verwaltungsschale) als I4.0-Komponente beschrieben.
3) Ein Asset kann mehrere virtuelle gemäß den Regeln von Industrie4.0 spezifizierte Repräsentationen in Form mehrerer Verwaltungsschalen für verschiedene Zwecke besitzen.
4) Jedes Asset hat eine Vita („Life Cycle“), die durch Zeit, Ort und Zustand charakterisiert ist und mindestens die Zustände „Typ“ und „Instanz“ einnehmen kann.
5) Durch die Kombination von Assets entsteht ein neues Asset mit neuen Eigenschaften und eigener I4.0-Komponente.
6) Jede Information über ein Asset ist an einen Träger gebunden.

Zu 1)

Ein Asset ist der Gegenstand, den ein Systemarchitekt als solchen erklärt. Beispiele für Assets im Kontext von Industrie4.0 sind

- Produkte
- Halbteile
- Anlagenelemente

- Anlagen-Einzelteile
- elektronische Baugruppen
- Teilsysteme
- Systeme
- Anlagen und Anlagenverbünde

aber auch

- Konzepte
- Pläne
- Ideen
- Archive und Programme

Ein interessanter Fall ist ein zu fertigendes Asset. Heutige Systeme beziehen das zu fertigende Produkt nicht ins Engineering ein. Es „geschieht" ihm etwas, was zum Schluss in das gefertigte Produkt mündet. Die Daten zum Fertigungsablauf werden parallel von Fertigungsstation zu Fertigungsstation weitergegeben und dabei modifiziert bzw. ergänzt oder gelöscht.

Das zu fertigende Produkt ist heute kein Element der Automatisierungstechnik. Das ändert sich in Industrie4.0, denn ein Schlüsselszenario in [1] ist, dass sich das Halbzeug, also das zu fertigende Produkt (ein Asset), selbstständig durch eine Fertigungslinie mit allen erforderlichen Arbeitsschritten bewegt und Einfluss auf den Fertigungsablauf nehmen kann. Damit wird das zu fertigende Produkt zwangsläufig ein Element der Automatisierungseinrichtung und muss beim Erstellen der Anlage als Entität Berücksichtigung finden. Das ist grundlegend neu und eröffnet die Möglichkeiten für die hochgradige Flexibilisierung von Fertigungsabläufen.

Zu 2)

Ein Asset wird zu unterschiedlichen Zwecken verwendet. Je nachdem sind unterschiedliche Merkmale relevant, die in verschiedenen Repräsentationen (Verwaltungsschalen) gehalten werden können. Werden dieselben Merkmale in unterschiedlichen Repräsentationen gehalten, so ist dafür zu sorgen, dass ihre Werte in allen Verwaltungsschalen synchronisiert werden.

Zu 3)

Die Repräsentation des realen Asset erfolgt mittels Merkmalen. Physische und Informationswelt müssen synchron gehalten werden.

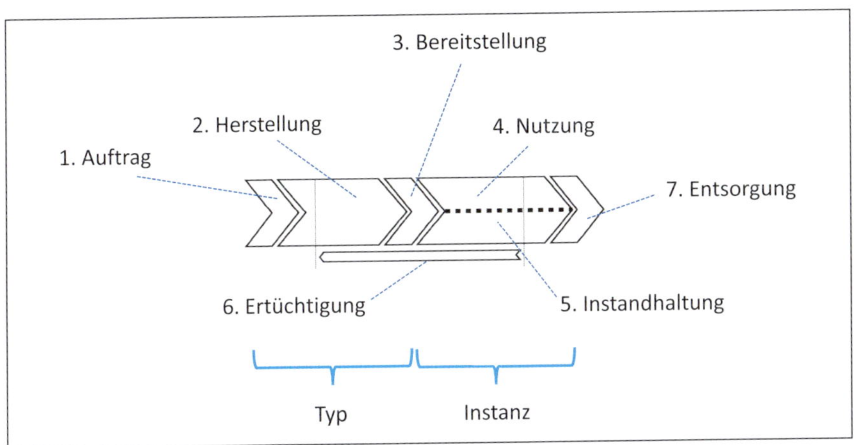

Abbildung 20: Allgemeines Schema der Vita eines Assets (auf Basis von DIN SPEC 91345)

Zu 4)

Abbildung 20 zeigt die wesentlichen Phasen des Lebenslaufs eines Assets. Jeder materielle und immaterielle Gegenstand ist diesem Lebenslauf unterworfen und unterliegt dabei Veränderungsprozessen. Diese drücken sich in Änderungen des Asset-Zustands aus, weswegen der Zustand Berücksichtigung finden muss. Da Zustandsänderungen an einem gewissen Ort zu einem gewissen Zeitpunkt stattfinden, sind diese beiden Parameter ebenfalls von besonderer Bedeutung.

Die Parameter

- Zeit
- Ort
- Zustand

werden nachfolgend in diesem Buch als Mindestparameter für die „Vita" (des Assets) zusammengefasst.

Ohne Berücksichtigung der Vita eines realen Assets ist keine konsistente Abbildung in der Informationswelt möglich. Ein Asset besitzt solange den Zustand „Typ", bis es als „Instanz" nutzbar wird.

HINWEIS

Bei immateriellen Gegenständen, z. B. Programmen, drückt sich diese Vita z. B. in Form von Versionsänderungen aus.

Zu 5)

Eine aus Assets bestehende beliebige Installation erfüllt einen vorbestimmten Zweck. Dabei verrichten die Einzel-Assets ihre vorbestimmte Funktion und erzeugen im Konzert gemeinsam eine höhere Funktionalität als jedes einzelne für sich allein. Es gilt daher, dass zwei kooperierende Assets etwas Neues erzeugen, und ein neues Asset mit Verwaltungsschale, d.h. eine neue I4.0-Komponente entsteht.

Zu 6)

Keine Information kann im Nichts beheimatet sein. Sie benötigt immer einen Träger. Dies kann das Papier eines Buchs, eine DVD oder das Gehirn eines Menschen sein.

5.2 Bekanntheitsgrad und Kommunikationsfähigkeit

Ein Gegenstand ist in keinem System automatisch integriert, also „bekannt". Um ihn in ein System aufzunehmen, bedarf es einiger Voraussetzungen. Neben dem für ein System irrelevanten Fall, dass ein Gegenstand unbekannt ist, kann er anonym bekannt sein. Ist ein Gegenstand explizit aus einer Menge herausgehoben, ist er individuell bekannt. Bekannt in einem Industrie4.0-System wird ein Gegenstand nur, wenn er als Entität verwaltet werden kann und damit zum Asset mit Verwaltungsschale wird. Er wird zu einer I4.0-Komponente, somit kann auf seine Repräsentation in der Informationswelt zugegriffen werden. Dieser Zugriff ist dann besonders einfach, wenn das Asset diese Informationen mittels einer aktiven Kommunikationsschnittstelle (API) I4.0-konform zur Verfügung stellt.

Es ist nicht jedes Asset kommunikationsfähig. In Industrie4.0 ist ein solches Asset möglicherweise von großer Relevanz. Auch wenn Schrauben gewöhnlich nicht zur Beschreibung einer Anordnung relevant sind, ist der Fall, dass eine Schraube von besonderer Wichtigkeit ist, nicht allzu selten. Dann ist sie ein Asset mit Repräsentanz in der Informationswelt. Da sie nicht selbst kommunikationsfähig ist, bedarf es eines Stellvertreters, der diese Kommunikationsfähigkeit bereitstellt. In einem solchen Fall muss diese Möglichkeit von der Infrastruktur einer Industrie4.0-Anordnung bereitgestellt werden, beispielsweise von der Datenbank, in der die Informationen dieser Repräsentanz (Verwaltungsschale) gespeichert sind. Ist ein Asset mit einem API ausgestattet, so spricht man von „aktiver Kommunikationsfähigkeit" des Assets, besitzt es keine Kommunikationsschnittstelle, so spricht man von „passiver Kommunikationsfähigkeit".

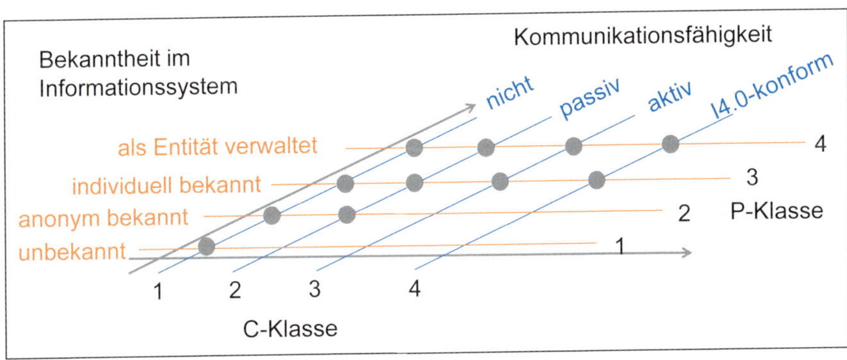

Abbildung 21: Bekanntheit eines Gegenstands im Informationssystem und seine Kommunikationsfähigkeit (Bild DIN SPEC 91345)

Abbildung 21 veranschaulicht den Sachverhalt anhand eines Bildes aus der DIN SPEC 91345. Ein Gegenstand kann in der Informationswelt von Industrie4.0 nur dann repräsentiert sein, wenn er als Entität verwaltet wird.

Aus der Kombination der Kommunikationsfähigkeit eines Gegenstands und seiner Bekanntheit lässt sich eine Ziffernnotation ableiten, die Abbildung 22 zeigt. Dabei charakterisiert die erste Ziffer die Kommunikationsfähigkeit und die zweite Ziffer den Grad der Bekanntheit eines Gegenstands. Ein passiv kommunikationsfähiger individuell bekannter Gegenstand hat damit die Eigenschaft CP23. Für ein in der Informationswelt von Industrie4.0 repräsentiertes Asset gilt, dass seine I4.0-Komponente eine CP24-/CP34-/CP44-Komponente ist.

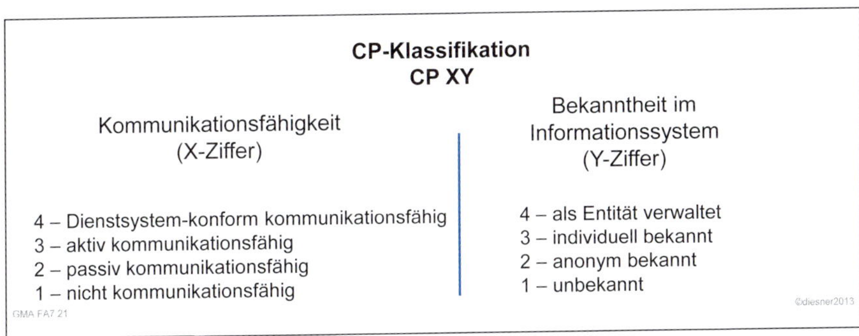

Abbildung 22: CP-Ziffernnotation zur Klassifikation der Kommunikationsfähigkeit und der Bekanntheit (Bild DIN SPEC 91345)

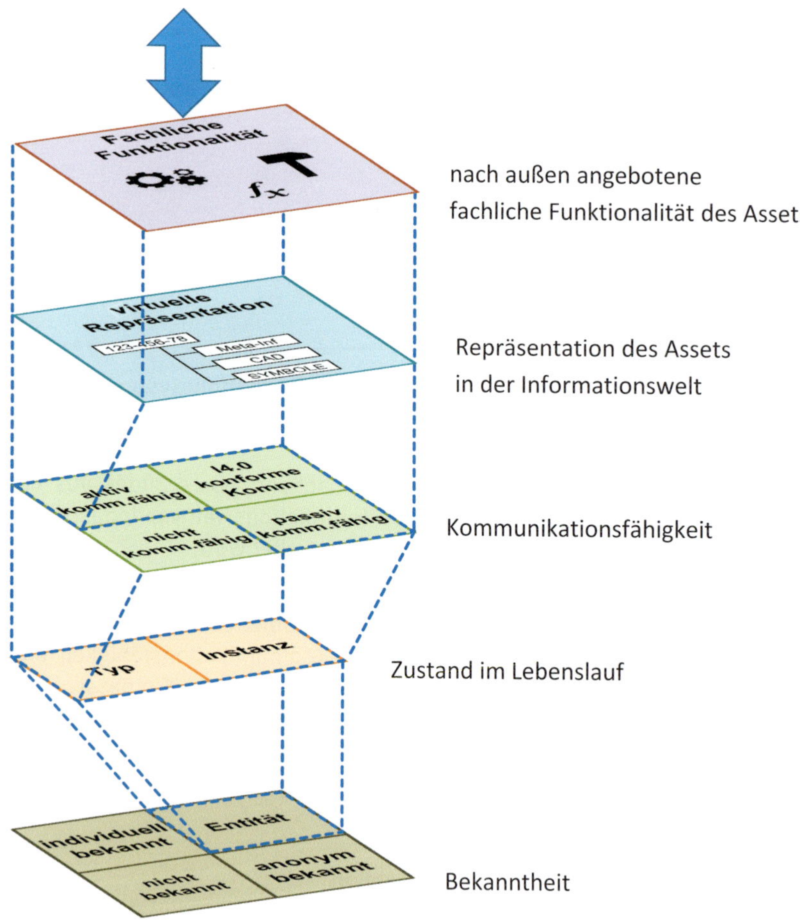

Abbildung 23: Eigenschaften einer I4.0-konformen Entität (Bild DIN SPEC 91345)

Abbildung 23 fasst die digitale Repräsentation eines Gegenstands in der Informationswelt zusammen: Ein Asset ist als Entität eine virtuelle Repräsentation eines Industrie4.0-relevanten Gegenstands von Wert, das entweder als Typ oder Instanz existiert, passiv oder aktiv kommunikationsfähig ist und formal beschriebene Informationen und fachliche Funktionen nach Industrie4.0-Regeln besitzt.

Die beschriebenen Aspekte eines Assets lassen sich in einem dreidimensionalen Gebilde zusammenfassen, wie Abbildung 24 zeigt.

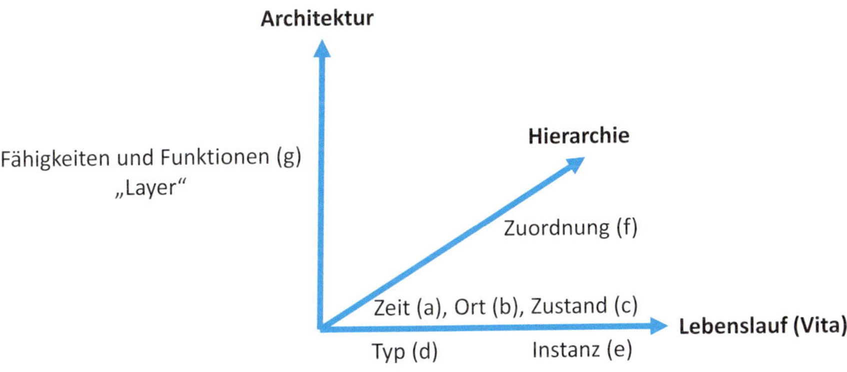

Quelle: Roland Heidel Kommunikationslösungen e. K.

Abbildung 24: Die Einzelaspekte eines Assets

Auf der x-Achse ist die Vita des Assets mit Zeit (a), Ort (b) und Zustand (c) aufgetragen.

Beim Zustand ist zu unterscheiden, ob es sich bei einem Gegenstand nur um ein allgemein benanntes Gebilde handelt oder um einen konkreten zu benennenden Gegenstand. Handelt es sich nur um ein abstraktes Gebilde, das noch nicht konkret nutzbar ist, so ist der Gegenstand im Zustand des „Typs“ (d). Ist der Gegenstand nutzbar ist er im Zustand „Instanz“ (e).

Kein Gegenstand existiert in einer Industrie4.0-Anordnung einfach so aus sich heraus. Jeder „Gegenstand von Wert“ (Asset) hat diesen Wert für jemanden oder etwas. Daher ist im Modell die Zuordnung (f) in Form von Hierarchieebenen beschrieben. Die exemplarisch genutzte Hierarchie der IEC 62264 (MES-Norm) kann entsprechend auch der Intention dieser Norm durch andere Zuordnungsschemata ersetzt werden.

Schließlich erfüllt jeder Gegenstand in einer Anordnung eine Rolle und erbringt in dieser Rolle eine seinen Fähigkeiten entsprechende fachliche Funktionalität. Diese fachliche Funktionalität in Form einer Architektur mit „Layern“ (g) darzustellen, hat sich bereits bei den Arbeiten zu Smart Grid als zweckmäßig erwiesen und wurde in Industrie4.0 übernommen.

Damit ist das Referenzarchitekturmodell Industrie4.0 (RAMI4.0) in seinen Grundzügen beschrieben.

6 Referenzarchitekturmodell Industrie4.0 (RAMI4.0)

6.1 Hintergrund

Ein erster Ansatz, automatisierungstechnische Zusammenhänge umfassend darzustellen, war die in den Achtzigerjahren vorgestellte Automatisierungspyramide (Abbildung 25). Sie gliedert die Aufgaben eines Fertigungsprozesses (in der Regel) in fünf Hierarchieebenen, ohne dass klar zwischen physischer Welt und Informationswelt unterschieden wird. Jeder Hierarchiestufe sind starr bestimmte Funktionen zugewiesen. Der Fertigungs- bzw. Produktionsprozess, der eigentliche Wertschöpfungsprozess, ist unterlagert zu denken, fehlt in Darstellungen oft bzw. hat in diversen Darstellungen keinen Bezug zu Hierarchieebenen und deren Funktionen. Implizit enthält die Pyramide eine Information zu den im Enterprise Ressource Planning-System (ERP) hinterlegten zu erfüllenden Aufgaben (im Bild mit „Request/Demand" markiert) und den hierfür erforderlichen Ressourcen (im Bild mit „Supply/Capability" markiert). Die Pyramide stellt wichtige, in Industrie4.0 aber keineswegs ausreichende Aspekte dar.

Einen deutlichen Schritt weiter geht man im Umfeld von Smart Grid mit dem in Abbildung 26 dargestellten Smart Grid Architecture Model (SGAM), das die Automatisierungspyramide in Form der Hierarchieebenen, dort „Zones" genannt, um funktionale (Interoperability Layers) und prozessuale Aspekte (Domains) ergänzt. [31] Damit wird die in der Automatisierungspyramide implizite Zuordnung bestimmter Funktionen zu bestimmten Hierarchieebenen erstmalig aufgelöst.

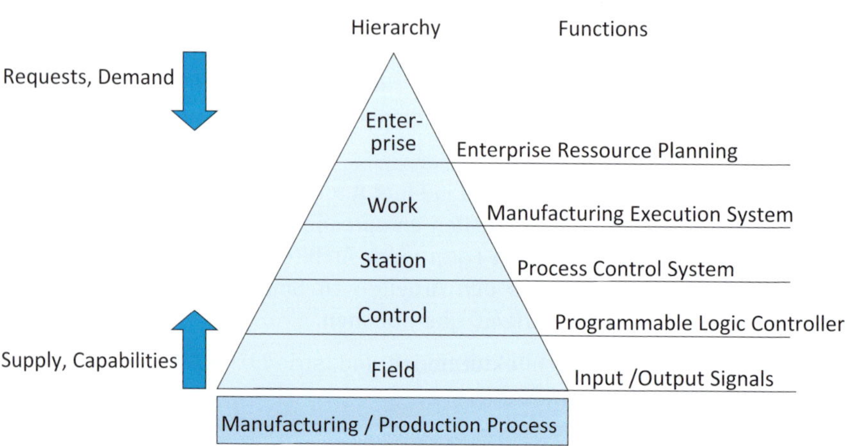

Abbildung 25: Bei der klassischen Automatisierungspyramide sind die Hierarchien mit bestimmten Funktionen verbunden

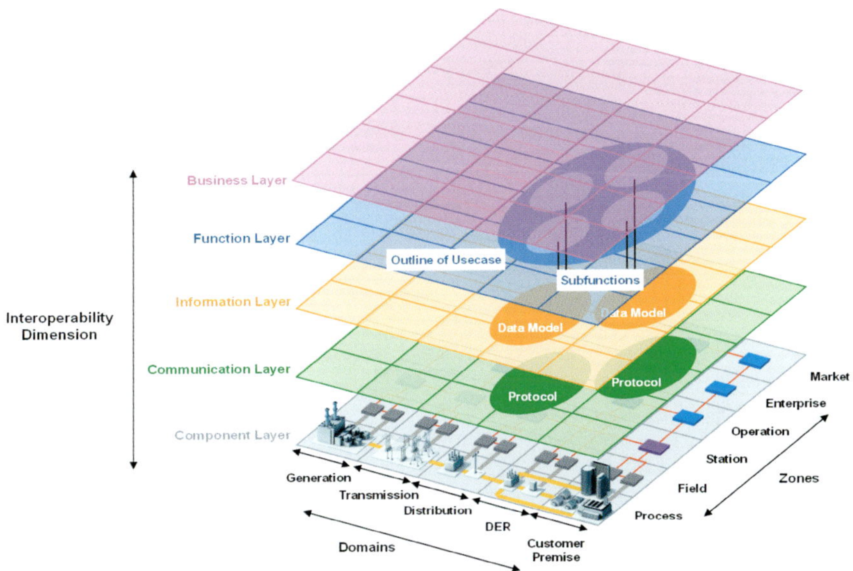

Abbildung 26: Das Smart Grid Architecture Model (SGAM) ergänzt die Automatisierungspyramide um funktionale und prozessuale Aspekte [31]

Da es sich bei SGAM um ein Modell für Smart Grid handelt, wird explizit zwischen dem Prozess der Stromerzeugung und -verteilung (Domains), der Beschreibung der Mittel (Interoperability Layers) und der „Zuordnung“ (Zones) unterschieden.

Ein Vorteil dieser Darstellung ist, dass die starren Zuordnungen der ursprünglichen Automatisierungspyramide einen Sonderfall dieser räumlichen Darstellung bilden und damit die Migration vom „alten“ Denken hin zur neuen „smarten“ Welt erleichtern.

In Industrie4.0 wurde auf den Arbeiten zu SGAM aufgesetzt und SGAM entsprechend den erweiterten Anforderungen als Referenzarchitekturmodell Industrie4.0 (RAMI4.0) weiterentwickelt. Die Erweiterung von RAMI4.0 gegenüber SGAM besteht darin, dass die elektrische Energieverteilung auf der SGAM-Domain-Achse verallgemeinert einen „Value Stream“ darstellt, an dem viele Komponenten beteiligt sind und damit auch deren Lebenslauf (Vita) repräsentiert wird.

Bei SGAM hat man sich am ISO-7-Schichten-Modell für die Kommunikationstechnik, orientierend zur *Strukturierung* der Eigenschaften für eine „Layer-“ Architektur, entschieden. Der Component Layer von SGAM wurde in RAMI4.0

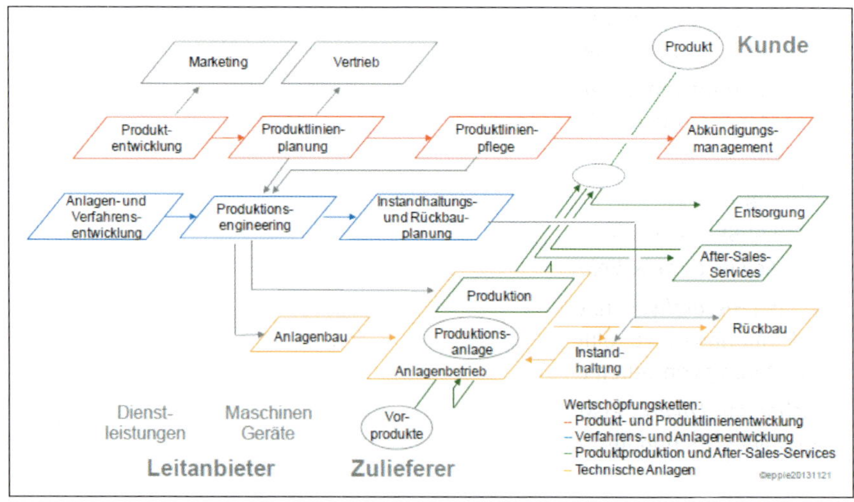

Abbildung 27: Wertschöpfungsketten in Industrie4.0 [17]

aufgeteilt. Entstanden ist der Asset Layer, der die Assets der physischen Welt repräsentiert, und der Integration Layer, der die digitalen Anteile des Component Layers beinhaltet und somit der Informationswelt zuzuordnen ist. Mit diesen beiden Layern wurde in RAMI4.0 eine klare Aufteilung zwischen physischer Welt und Informationswelt vorgenommen und gleichzeitig die *Bindung* der Informationswelt an die physische Welt realisiert.

In Fortsetzung der Aktivitäten zur „offenen Kommunikation" stellt Industrie4.0 die „offene Anwendung" in den Mittelpunkt. Abbildung 27 zeigt die mit RAMI4.0 mindestens beschreibbaren Wertschöpfungsprozesse, die in Industrie4.0 offene Anwendungen darstellen. Dies bedeutet nicht, dass in Zukunft keine weiteren Wertschöpfungsprozesse einbezogen werden können. Prinzipiell lässt sich die Methodik in anderen IoTS-Prozessen anwenden.

Offene Anwendungen sind nur mit allgemein verfügbaren Standards und Normen realisierbar. RAMI4.0 wurde mit folgenden Zielsetzungen entwickelt:

1) Schaffung eines anschaulichen und einfachen Architekturmodells als Referenz für den gesamten Industrie4.0-Lösungsraum
2) Darstellung anwendungspezifischer Zusammenhänge mit Normen und Standards:
    a) Zuordnung geeigneter vorhandener Normen und Standards
    b) Minimierung der Zahl der eingesetzten Normen und Standards durch Evaluierung von Überschneidungen und Festlegung von Vorzugslösungen

c) Evaluierung und Schließen von Lücken in Normen und Standards durch neue bzw. veränderte Normen

3) Evaluierung von Untermengen einer Norm bzw. eines Standards zur schnellen Umsetzung von Teilinhalten für Industrie4.0 („I4.0 Ready“, siehe Kapitel 14)

Abbildung 28 zeigt das Referenzarchitekturmodell Industrie4.0. Das mit Grundnormen abgebildete würfelförmige Gebilde gliedert sich in die drei Achsen:

- Achse *Life Cycle & Value Stream*, d. h. Lebenszyklus & Wertstrom (IEC 62890)
- Achse *Hierarchy*, d. h. die funktionale Zuordnung z. B. eines Assets oder auch Informationen zu einer oder mehreren Hierarchieebene(n) unter Berücksichtigung von Teilen der Normen IEC 62264 und IEC 61512
- Achse mit *Layern*, also die funktionale Architektur des Assets mit Aufteilung in physische und Informationswelt

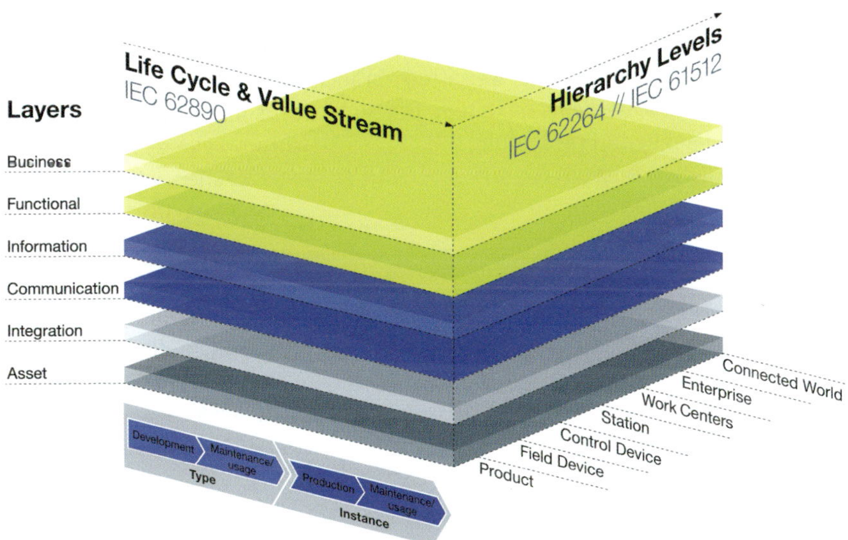

Quelle: ZVEI SG Modelle und Standards

Abbildung 28: Das Referenzarchitekturmodell Industrie4.0 (RAMI4.0)

6.2 Achse Lebenszyklus und Wertstrom

Durch die immer stärkere Vernetzung in der horizontalen Integration, bei z.B. Einkauf, Logistik und Produktion oder auch in der Entwicklung mit Simulation von Produkten und Maschinen, ergeben sich neue Potenziale, d.h., dass Lebenszyklen und Wertschöpfungsketten immer stärker herstellerübergreifend digitalisiert und stärker vernetzt werden. Aus den teilweise linearen Wertschöpfungsketten werden immer mehr ineinander vernetzte Wertschöpfungsnetzwerke, die sehr schnell digital ihre Informationen untereinander austauschen. Das digitale Abbild in der Informationswelt wird dafür immer wichtiger.

Dies bedeutet, dass Prozesse im Unternehmen immer stärker formalisiert und digitalisiert werden müssen. Dieser Sachverhalt spiegelt sich in der Achse Lebenszyklus und Wertstrom wider. Es ist zu erwarten, dass hierfür neue Standards und Normen notwendig sind.

Jeder Gegenstand, jede Maschine, jede Software, d.h. jedes Asset, durchläuft während seiner Lebenszeit (Vita) verschiedene Phasen innerhalb der Prozesse einer Wertschöpfungskette. Je nach Branche oder Typ des Assets sind für ähnliche Prozesse unterschiedliche Begriffe gebräuchlich. Bei näherer Betrachtung erkennt man viele Gemeinsamkeiten. Die Prozesse sind alle in zwei große Hauptphasen gegliedert (Abbildung 29).

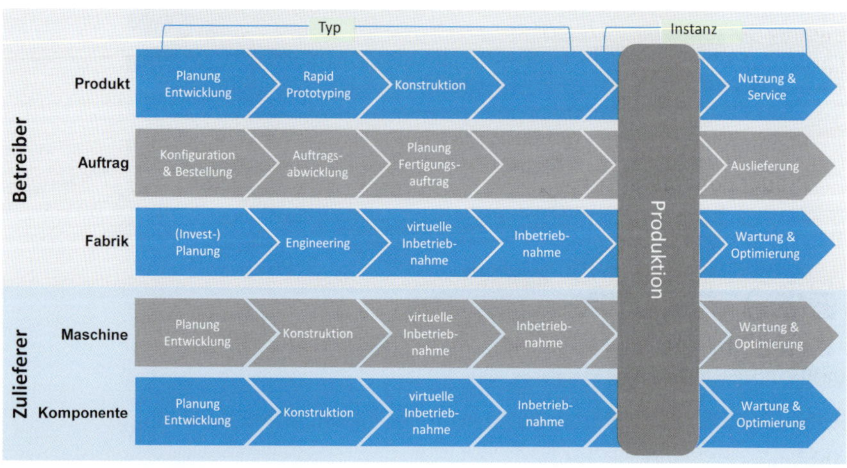

Quelle: ZVEI SG Modelle und Standards

Abbildung 29: Verschieden benannte Phasen in Lebenszyklen und Wertschöpfungsketten

Die erste Phase stellt die Entwicklung eines Assets von der ersten Idee bis zum ersten Prototypen und Test dar. In dieser Phase entsteht der „Typ" eines Assets. Mit dem Typ stehen alle Informationen für eine Vermarktung zur Verfügung und die Produktion kann gestartet werden.

Die zweite Phase umfasst die Herstellung des vorher entwickelten Typs mit seiner Nutzung (Instanz). In dieser Phase entstehen „Instanzen". Alle Instanzen resultieren aus dem Typ. Die Instanzen werden mit weiteren Informationen angereichert, z. B. mit welcher Qualität sie wann und wo mit welchen Materialien zu welchen Kosten oder in welcher Zeit hergestellt wurden. Nach der Herstellung wird die Asset-Instanz vom Kunden genutzt. In der Nutzungsphase entstehen Nutzungsdaten, z. B. wie, wo und wann das Asset verwendet wurde. Zur Nutzungsphase gehören auch Service und Wartung. Zu dem einen Typ können beliebig viele Instanzen entstehen. Im Anlagenbau entsteht z. B. aus einem Typ eine Instanz, in der Serienproduktion oder Massenproduktion entstehen aus einem Typ Tausende von Instanzen.

Die Nutzungsdaten können wiederum für den Typ wichtig sein. So kann mit Erfahrungen aus der Nutzung der Typ weiter entwickelt und verbessert werden. Damit wird auch der Typ über den Lebenszyklus geändert, er hat ebenfalls eine Art Nutzungsphase als Vorlage für das Produkt und unterliegt der Wartung/Weiterentwicklung.

Die Lebenszyklus- und Wertstrom-Achse ist in vier Phasen eingeteilt. Abbildung 30 zeigt die vier Phasen von der ersten Idee eines Assets bis zu seiner Entsorgung:

- Development (Type)
- Maintenance/Usage (Type)
- Production (Instance)
- Maintenance/Usage (Instance)

Quelle: ZVEI SG Modelle und Standards

Abbildung 30: Lebenszyklus und Wertstromachse vom RAMI4.0 (Vita)

6.3 Hierarchie-Achse (Zuordnung)

Die Hierarchie-Achse dient der vertikalen Integration z. B. innerhalb einer Anlage oder Fabrik.

Für die Gliederung der Achse in Abbildung 31 wurde auf bestehende Normen zurückgegriffen. Die Normen IEC 62264, IEC 61512 bzw. ISA88 und ISA 95 enthalten eine grobe Orientierung zu Hierarchien innerhalb von Anlagen und Fabriken. Die wichtigsten Ebenen aus diesen Normen finden sich auf dieser Achse wieder. Sie reflektieren im Wesentlichen die bisherige Automatisierungspyramide. Über die Normen hinaus sind sie nach unten um zwei neue Ebenen erweitert: die Feldebene und das Produkt. Mit der Feldebene werden intelligente Feldgeräte als Bindeglied zwischen physischer Welt und Informationswelt in Form von Sensoren und Aktoren berücksichtig, die ein entscheidendes Bindeglied zwischen physischer und Informationswelt darstellen. Das Produkt ist hinzugefügt, weil es künftig seinen eigenen Fertigungsprozess beeinflussen kann und somit Teil des Lösungsraums von Industrie4.0 ist.

Die obere Hierarchieebene endet in den heutigen Normen bei der Fabrik. Für Industrie4.0 ist die Vernetzung über Werke und Firmen hinweg eines der neuen und wichtigen Potenziale. Daher wurde die Achse nach oben um die vernetzte Welt als „Connected World“ ergänzt, womit die Kooperationen über Firmengrenzen hinweg im Modell abgebildet werden können.

Eine weitere wichtige Änderung ist in Abbildung 32 zu erkennen. Eine Verbindung zwischen den einzelnen Ebenen ist heute eher starr angelegt. So erfolgt z. B. eine Kommunikation immer von einer Ebene zur nächsten. In Industrie4.0 wird es möglich, dass jeder Teilnehmer prinzipiell mit jedem anderen Teilnehmer im Netzwerk direkt kommunizieren kann.

Bei der Hierachie-Achse handelt es sich um eine rein funktionale Zuordnung, damit man z. B. ein Sortierkriterium für bestimmte Funktionalitäten aus Normen und Standards erhält. Bei einer Implementierung können die Hierarchieebenen entsprechend den Vorgaben einer Firma angepasst werden. So kann eine intelligente SPS-Funktion zunächst funktional logisch der Ebene „Control Device“ des Modells zugeordnet sein. Eine spätere Realisierung dieser SPS-Funktion kann

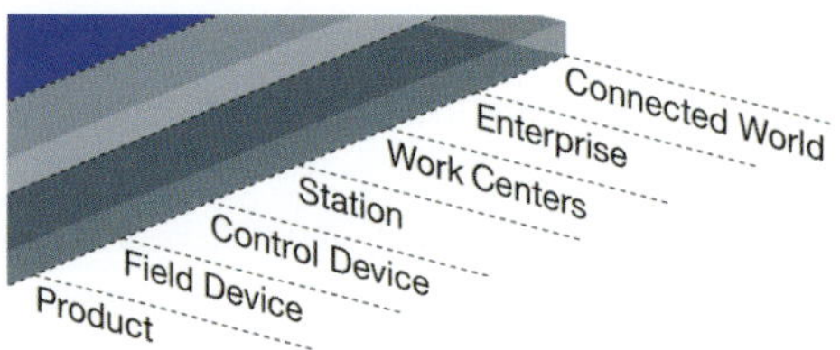

Quelle: ZVEI SG Modelle und Standards

Abbildung 31:
Die Hierarchie-Achse

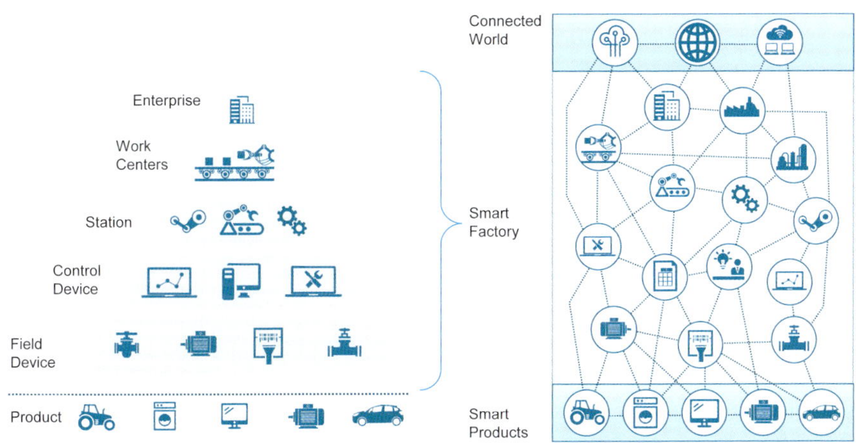

Quelle: Plattform Industrie4.0

Abbildung 32: Übergang zur funktionalen Hierarchie bei Industrie4.0

auf der Ebene „Field Device" oder auch auf einer Plattform in der „Connected World" erfolgen. Für die Modellierung im RAMI4.0 ist nur die funktionale Einordnung entscheidend.

6.4 Architektur-Achse (Layer)

Die Architektur-Achse ist in Schichten oder englisch „Layer" aufgeteilt (Abbildung 33). Jede Schicht erstreckt sich über die anderen beiden Dimensionen „Lebenszyklus & Wertstrom" bzw. „Hierarchie".

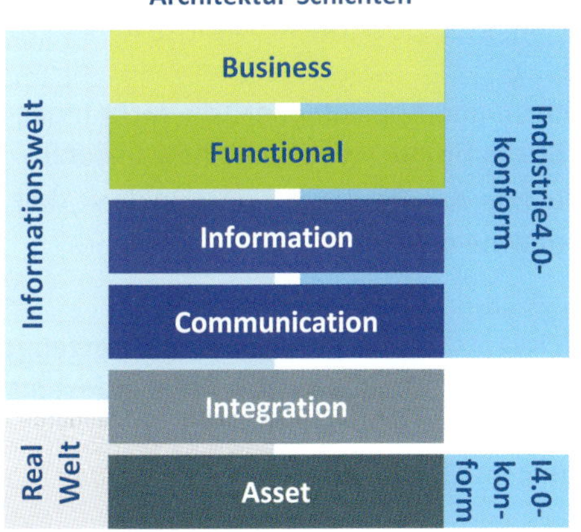

Quelle: ZVEI SG Modelle und Standards

Abbildung 33: Aufteilung Informationswelt/physischer Welt sowie Industrie4.0 Konformität im RAMI4.0

6.4.1 Asset- und Integration-Layer

Für neue Geschäftsmodelle sind die digitalen Inhalte in Form von standardisierten bzw. genormten Daten und Funktionen sowie eine regelkonforme digitale Anbindung der physischen Welt an die Informationswelt entscheidend.

Der Asset Layer bildet in RAMI4.0 die untere Schicht. Er reflektiert die physische Welt. Die fünf Schichten darüber sind der Informationswelt zugeordnet.

Der Integration Layer ist das Bindeglied zwischen der physischen Welt eines Assets und der Informationswelt von Industrie4.0. Er stellt eine Art Übersetzer zwischen physischer Welt und Informationswelt dar. Beispielweise findet die Bildung eines digitalen Messwerts aus einem physikalischen Wert mittels Analog-Digital-Wandlers in dieser Schicht statt. Umgekehrt wird aus einem virtuellen Stellbefehl ein Analogwert zum Stellen eines Ventils. Außerdem ist der Integration Layer die Schicht, die heutige Industrie3.x-Technologien aufnimmt. Die Industrie4.0-konforme Welt ist den fünf oberen Schichten vorbehalten.

Somit gilt:

- Industrie3.x-Technologien sind im Integration Layer angesiedelt.
- Alle Industrie4.0-konformen Inhalte sind einer der vier oberen Ebenen vorbehalten.

Der Integration Layer enthält:

- Informationen über Voraussetzungen und Zustände, die sich in der physischen Welt während der Wertschöpfungsprozesse ändern. Typische Änderungen sind Veränderungen des Aggregatzustands (Klebstoff verändert seine Konsistenz von flüssig zu fest), oder Materialveränderungen aufgrund der Bearbeitung (z. B. Erhitzung des Werkstücks und damit einhergehende veränderte Festigkeit). Solche in der physischen Welt stattfindenden Ereignisse müssen sich mindestens im Integration Layer in Form (geänderter) Informationen wiederfinden
- Herstellerspezifische Daten, Funktionen und Applikationen, die nicht Industrie4.0-konform umgesetzt sind, z. B. aus Gründen des Know-how-Schutzes
- Asset-nahe oder Asset-relevante digitale Anteile der Informationswelt, beispielsweise das Betriebssystem, Firmware oder ein Runtime-Framework

Dabei gilt:

- Jeder wichtige Informationspunkt (Ereignis) in der physischen Welt erzeugt einen Informationspunkt (Ereignis) in der Informationswelt, also mindestens im Integration Layer.
- Sind die Informationspunkte (Ereignisse) Industrie4.0-konform, werden sie in den höheren Layern verarbeitet.

- Umgekehrt gilt, dass nicht zu jedem Informationspunkt der Informationswelt ein Informationspunkt in der physischen Welt existieren muss. Beispiele sind Assets, die entsorgt wurden, aber in einem Archiv der Informationswelt weiter existieren, oder real noch gar nicht existierende Assets für Simulationszwecke in der Informationswelt.

Eine Migration von Industrie3.x nach Industrie4.0 erfolgt, indem alle in der Integrations-Schicht vorhandenen nicht Industrie4.0-konformen Daten, Funktionen, Kommunikationssysteme usw. nach und nach durch I4.0-konforme Daten, Funktionen, Kommunikationssysteme ersetzt und dann den jeweiligen höheren Schichten zugeordnet werden.

Alle bestehenden Anlagen können somit nach und nach für Industrie4.0 nachgerüstet werden. Entweder können die Anlagen erste Daten und Funktionen für Industrie4.0 selbst bereitstellen oder in Form einer „Gateway"-Lösung mit einer Zusatzhardware Daten und Funktionen aus Anlagen für das Industrie4.0-Netzwerk zur Verfügung stellen.

Der Integrationsschicht kommt daher eine wichtige Schlüsselrolle für die Umsetzung von Industrie4.0 zu.

HINWEIS

Auch wenn der Anteil an offenen Industrie4.0-Lösungen steigen wird, so wird es immer einen Teil geben, der herstellerspezifisch ist. So wird *diesbezüglich* auch zukünftig die Integrationsschicht ein wichtiger Teil einer Lösung sein.

6.4.2 Communication Layer

In Industrie4.0 greift die allumfassende Vernetzung deutlich weiter als bisher. Sie soll Plug-and-play-Fähigkeiten haben, transparent über alle Hierarchieebenen sein und sie soll neue Dienste unterstützen. Dazu müssen Lösungen aus der industriellen Kommunikation und der Informations-Technik zusammengeführt werden. Ziel ist es, dass jedes Asset mit jedem Asset im Netzwerk Informationen austauschen kann, ungeachtet auf welcher hierarchischen Ebene es sich befindet.

Die Kommunikationsschicht umfasst solche Fähigkeiten eines Assets, beispielsweise eigenständige Verhandlung beim Aufbau von Kommunikationsverbindungen u. a. bezüglich Bitrate, Übertragungsqualität, Security. Sie sorgt für den sicheren und zeitgerechten Transport der auszutauschenden Daten auch über Unternehmensgrenzen hinweg auf Basis einer *serviceorientierten* Architektur.

Unter Kommunikation wird die reine Übertragung zwischen zwei Teilnehmern verstanden. Die Inhalte, z.B. die Daten der Übertragung, sind im Information Layer beschrieben und diesem zugeordnet. Im Communication Layer wird die Kommunikationsschnittstelle eines Assets beschrieben. Aus Sicht des Nutzers (des Assets) dieser Schnittstelle stellt die Kommunikation ein Subjekt dar. [32]

HINWEIS

Aus Sicht eines für Betrieb und Unterhalt der Kommunikationsinfrastruktur verantwortlichen Kommunikationsanbieters ist diese „Kommunikation" ein Objekt.

Die Kommunikation gliedert sich in die reine Physik, den Transport der Daten und in Basisdienste. Zur genaueren Beschreibung und zum besseren Überblick der erforderlichen Standards und Normen ist der Communication Layer entsprechend dem bekannten ISO-OSI-Modell[7] unterteilt (siehe ISO 7498).

Tabelle 2 zeigt Beispiele für die einzelnen Schichten des ISO-OSI Modells, von denen für die I4.0-konforme Kommunikation Vorzugskandidaten zu wählen bzw. zu ergänzen sind.

Industrie4.0-konforme Kommunikation soll sowohl kabelgebunden als auch drahtlos möglich sein.

Als Übertragungsprotokoll wurden TCP/UDP sowie IP festgelegt. Für die kabellose Übertragung gilt es abzuwarten, ob sich der neue Telekommunikations-Standard für die 5. Generation (5G) für diesen Bereich eignet.

Für die höheren OSI-Schichten wird Serviceorientierung und speziell für den Shop Floor der Standard OPC-UA empfohlen. Für andere Bereiche wie den Entwicklungsbereich im Office Floor oder die Kommunikation zwischen den Office Floors zweier Firmen über Connected World sind noch keine Festlegungen getroffen. Ziel ist es hier, schnellstmöglich einen Vorzugsstandard zu benennen. Abbildung 34 zeigt die aktuellen Festlegungen zur I4.0-konformen Kommunikation, es zeigt auch, dass noch einige Felder offen sind.

7 *Open Systems Interconnection Modell.*

Tabelle 2: OSI-Schichten [18] und Beispiele ergänzt mit Kandidaten für Industrie4.0

OSI-Schicht		Einordnung	Protokoll-beispiel	Kandidaten für Industrie4.0
7	Anwendungen (Application)	anwendungs-orientiert	HTTP FTP HTTPS SMTP LDAP NCP	**OPC-UA, DDS, XMPP, Web Services, HTTP, HTTPS, SOAP, CoAP, MQTT, AMQP ...**
6	Darstellung (Presentation)			
5	Kommunikations-steuerung (Session)			
4	Transport (Transport)	transport-orientiert	TCP UDP SCTP SPX	**UDP, TCP**
3	Vermittlung/Paket (Network)		ICMP IGMP IP IPsec IPX	**IP**
2	Sicherung (Data Link)		Ethernet Token Ring FDDI MAC ARCNET	**Ethernet, WiFi, GSM/4G/5G, TSN ...**
1	Bitübertragung (Physical)			**Kabel und kabellos**

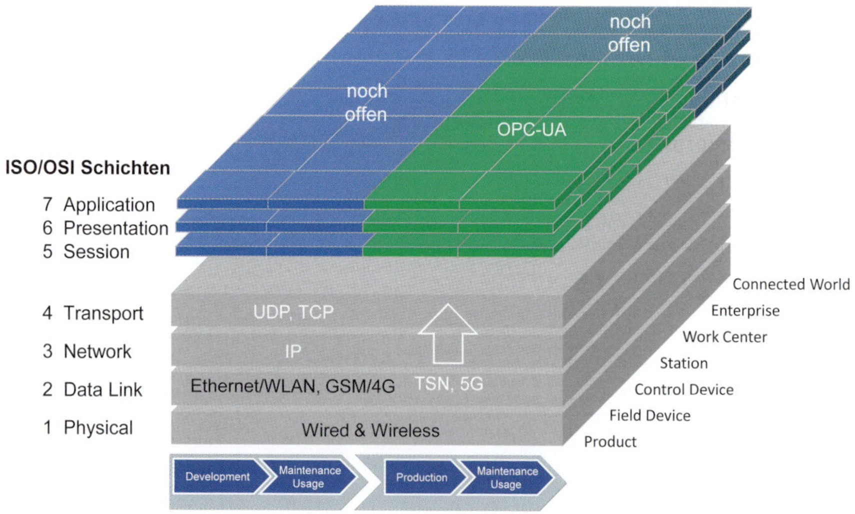

Abbildung 34: Gegenwärtige Festlegungen im Communication Layer

> **HINWEIS**
>
> Nicht I4.0-konforme Protokolle (z. B. Kommunikationssysteme wie Profibus, PROFINET, SERCOS II, ASI) gehören (noch) nicht in den Communication Layer, sondern sind im Integration Layer angesiedelt, denn sie besitzen heute (noch) keine I4.0-konformen Kommunikationseigenschaften.

6.4.3 Information Layer

Der *Information Layer* repräsentiert die für die Funktionen des Assets wichtigen Informationen. Statt wie früher Daten nur als Bestandteil eines technischen Ablaufs zu betrachten, stehen sie in künftigen datengetriebenen Systemarchitekturen, und damit auch in Industrie4.0, im Vordergrund (mehr hierzu in [30]). Der Information Layer bündelt die relevanten Daten und Merkmale eines Assets. Er beherbergt die den Funktionen zuzuordnenden Daten einschließlich deren Speicherort, z. B. in einer Cloud.

Dazu kommen datenbezogene Funktionen, die ebenfalls dem Information Layer zugeordnet sind. Dies können sein:

- Ereignisse und Ereignis-(Vor-)Verarbeitung
- Bereitstellung strukturierter Daten

- Sicherstellung der Datenintegrität
- Gewinnung neuer, höherwertiger Daten („Big Data“-Analyse)
- Informationen aus den Daten usw.

Daten und Informationen werden wie folgt kategorisiert:

1) Lokale *nicht* I4.0-konforme Informationen (eigene „Daten“, die nicht nach I4.0-Konventionen angelegt sind und nur lokal zur Verfügung stehen) residieren im Integration Layer.
2) Öffentliche *nicht* I4.0-konforme Informationen (eigene „Daten“, die nicht nach I4.0-Konventionen angelegt sind, die an andere aber zur Verfügung stehen) residieren im Integration Layer.
3) Lokale I4.0-konforme Informationen („Daten“ nach I4.0-Konventionen, die aber nur lokal verwendet werden und anderen I4.0-Komponenten nicht zur Verfügung stehen) residieren im Information Layer.
4) Öffentliche I4.0-konforme Informationen („Daten“ nach I4.0-Konventionen, die über eine I4.0-Kommunikation auch anderen I4.0-Komponenten zur Verfügung stehen) residieren im Information Layer.

Herstellerspezifische „private“ Daten sind dem Integration Layer zuzuordnen. Dann obliegt es dem Besitzer dieser Daten, ob er sie nur lokal hält oder anderen in der Wertschöpfungskette nicht I4.0-konform zur Verfügung stellt. Sind die Daten hingegen nach Industrie4.0-Konventionen erstellt, können sie für I4.0-Funktionen und Dienste hersteller- und anwenderübergreifend genutzt werden. Der Besitzer der I4.0-Daten kann entscheiden, ob er die Daten öffentlich anderen mittels des Communication Layers zur Verfügung stellt oder ob er die Daten nur intern, d. h. lokal nutzen will.

6.4.4 Functional Layer

Dem Functional Layer sind alle Funktionen und Services zugeordnet, die den Industrie4.0-Konventionen entsprechen. Diese beziehen ihre Informationen aus den I4.0-Daten des Information Layers und legen Ergebnisse wieder als I4.0-Daten im Information Layer ab. Ziel ist es, dass jedes Asset mit jedem Asset im Netzwerk *kooperieren* kann, ungeachtet auf welcher hierarchischen Ebene sich das jeweilige Asset befindet.

Im Functional Layer unterscheidet man Grundfunktionen, Prozessfunktionen und herstellerspezifische Funktionen.

Grundfunktionen

Eine Grundfunktion ist eine allgemein verfügbare I4.0-konforme Funktion. Ein Beispiel für eine Grundfunktion ist das herstellerübergreifende Condition Monitoring für die Komponenten einer Maschine. Dazu müssen die Diagnosedaten in einheitlichem I4.0-konformen Format und Semantik im Information Layer abgelegt sein. Das zur Normung in IEC eingereichte VDMA-Einheitsblatt 24582 beschreibt solche hersteller- und anwenderübergreifenden Condition-Monitoring-Funktionen mit den dazugehörigen Daten. Ein weiteres Beispiel für eine Grundfunktion ist eine I4.0-konforme Antriebsfunktion.

Prozessfunktionen

I4.0-Funktionen können Prozessfunktionen für Fertigungs- und Verfahrenstechnikprozesse sein. Dazu holt sich eine Prozessfunktion einerseits vom Business Layer Prozessvorgaben, was zu tun ist, andererseits von den unterlagerten Layern die Daten und Informationen, die zur Funktionsausführung nötig sind. Solche Funktionen müssen frei verfügbare und formal beschriebene standardisierte I4.0-konforme Funktionen sein, wie sie z. B. die Fertigungstechnik kennt (DIN 8580):

- Urformen (*Zusammenhalt schaffen*)
- Umformen (Zusammenhalt beibehalten)
- Trennen (Zusammenhalt vermindern)
- Fügen (Zusammenhalt vermehren)
- Beschichten (Zusammenhalt vermehren)
- Stoffeigenschaften ändern

Dazu gehören auch Unterfunktionen, z. B. beim Trennen:

- Abtragen (DIN 8590), z. B. Brennschneiden, das Plasma-Schmelzschneiden, das Funkenerodieren
- Reinigen (DIN 8592)
- Spanen mit geometrisch bestimmter Schneide (DIN 8589-0), z. B. Drehen, Fräsen, Bohren usw.
- Spanen mit geometrisch unbestimmter Schneide (DIN 8589-0), z. B. Schleifen
- Zerlegen (DIN 8591)
- Zerteilen (DIN 8588)

Zu den I4.0-konformen Funktionen gehören „klassische“ Funktionen wie:

- Messen
- Steuern

- Regeln
- und viele mehr.

HINWEIS

Es soll künftig möglich sein, dass eine Anordnung aus Assets das beste und kostengünstigste Verfahren, z.B. zum Spanen, anhand ihrer Möglichkeiten selbst bestimmt. Dies soll ein Beispiel verdeutlichen. Der Auftrag des Kunden kommt über den Business Layer zum Functional Layer bzw. bezüglich der Daten zum Information Layer. Er lautet: ein Loch mit einem bestimmten Durchmesser in Metall zu bohren, wobei die Toleranzen $\pm x\,\%$ nicht überschritten werden dürfen. Der Functional Layer ermittelt zunächst, was „Bohren" mit seinen relevanten Parametern eigentlich bedeutet. Er prüft dann anhand der Informationen aus unterlagerten Layern, ob in der Anlage (Asset) eine geeignete Ressource (Asset, z.B. Maschine) zur Erzeugung eines Lochs mit den erforderlichen Eigenschaften vorhanden ist. Dies muss nicht notwendigerweise eine Bohrmaschine sein. Es kann je nach Vorgaben ein Laserschneider, eine Stoßmaschine oder eine Fräsmaschine sein. Ist die benötigte Ressource verfügbar und liegen z.B. die vom Business Layer vorgegebenen Kosten im Rahmen, so ist der Auftrag rein technisch ausführbar und kann angestoßen werden.

Herstellerspezifische Funktionen

Neben den herstellerübergreifenden Funktionen sind Funktionen einzelner Hersteller und Anwender möglich, um Alleinstellungsmerkmale eines Herstellers zu realisieren.

Zusammengesetzte Funktionen in Form von Applikationen

Unter einer Applikation versteht man die programmtechnische Umsetzung und Verschachtelung von Funktionen zu einer neuen und auf den Anwendungsfall zugeschnittenen Funktionalität. Wenn sich diese I4.0-konform in der Beschreibung und an ihren Schnittstellen und Daten darstellen, dann sind diese Applikationen im Functional Layer verortet. Applikationen, die keine I4.0-Voraussetzungen erfüllen, sind ebenfalls möglich, aber im Integration Layer verortet.

6.4.5 Business Layer

Der Business Layer beschreibt die Geschäftsprozesse und die geschäftlichen Rahmenbedingungen für ein Asset.

Zu den Geschäftsprozessen zählen alle nicht unmittelbar zur fachlichen Funktionalität des Assets gehörenden Rahmenbedingungen, z. B. das automatische Schließen elektronischer Verträge zwischen Assets, der formal beschriebene Rechtsrahmen, elektronische Zertifikate u. ä. Diskutiert werden standardisierte I4.0-Daten für Geschäftsprozesse, die dem Information Layer zuzuordnen wären. Dies können sein: Einschaltdauer, Nutzungsdauer, Lizenzschlüssel, Rechtevergabe usw. oder die zur Implementierung neuer Geschäftsmodelle wichtigen Daten.

Folgende entscheidende Elemente für den Business Layer sind in der DIN SPEC 91345 aufgeführt:

- Organisatorische Rahmenbedingungen (z. B. Auftragserteilung, Auftragsrahmenbedingungen, regulatorische Vorgaben)
- Orchestrierung von Diensten des Functional Layers
- Monetäre Bedingungen (Preis, Verfügbarkeit von Ressourcen, Rabatte usw.)
- Sicherstellung der Integrität der Funktionen in der Wertschöpfungskette
- Modellierung der Regeln, denen das I4.0-System folgen muss
- Abbildung von Geschäftsmodellen und den sich daraus ergebenden Gesamtprozessen
- rechtliche und regulatorische Rahmenbedingungen
- Verbindungselement zwischen verschiedenen Geschäftsprozessen
- Empfang von Ereignissen für die Weiterschaltung eines Geschäftsprozesses

6.5 Beispiel für eine servo-hydraulische Achse in den Architekturschichten von RAMI4.0

Anhand eines Beispiels soll die funktionale Verteilung auf die verschiedenen Layer vom RAMI4.0 gezeigt werden (Abbildung 35).

Die servo-hydraulische Achse ist ein System, das aus mehreren Komponenten besteht. Assets sind z. B. der hydraulische Zylinder, der Block mit der eingebauten Pumpe, der Servomotor. Über ein Verbindungskabel ist ein Antriebsverstärker angeschlossen. Der Antriebsverstärker ist ebenfalls ein Asset. Er dient als Verbindungselement zum elektrischen Servomotor, d. h. seine Hardware ist dem Asset Layer zugeordnet, und sein digitaler Anteil liegt im Integration Layer. Die proprietären Funktionen wie die Momenten- und Geschwindigkeitsregelung sind ebenfalls dem Integration Layer zuzuordnen. Auch die entsprechenden Daten sind Teil des Integration Layers. Es soll angenommen werden, dass eine I4.0-konforme Funktion zur Ermittlung der Energieeffizienz aus I4.0-konformen

Daten existiere. Ebenso sei die Lageregelung z.B. I4.0-konform realisiert. Auch sie nutzt standardisierte I4.0-konforme Daten. Diese Daten werden über eine I4.0-konforme Kommunikationsschnittstelle (im Beispiel mittels OPC-UA auf Ethernet Kabel) übertragen und als I4.0-Daten im Information Layer zur Verfügung gestellt. Im Businessprozess des Business Layer sei ein I4.0-konformes Energiemanagement, z.B. nach ISO 50001, hinterlegt, das nach Auswertung der Energierohdaten durch die Funktion im Functional Layer auf die errechneten Daten des Integration Layers zugreift.

Die Lageregelung wiederum ist in diesem Beispiel ein weiteres Asset, das durch RAMI4.0 repräsentiert mit einer Kopfsteuerung verbunden ist. D.h. die Lageregelung bezieht ihre Positionsvorgaben vom RAMI4.0 der Kopfsteuerung über eine I4.0-konforme Kommunikation und verwendet diese für die eigene Lageregelung.

An diesem Beispiel ist die Migration von heutiger Technik nach Industrie4.0 gut zu erkennen. Es zeigt auch, dass mit wenigen Industrie4.0-konformen Daten begonnen werden kann und nach und nach weitere Daten und Funktionen I4.0-konform eingeführt werden können.

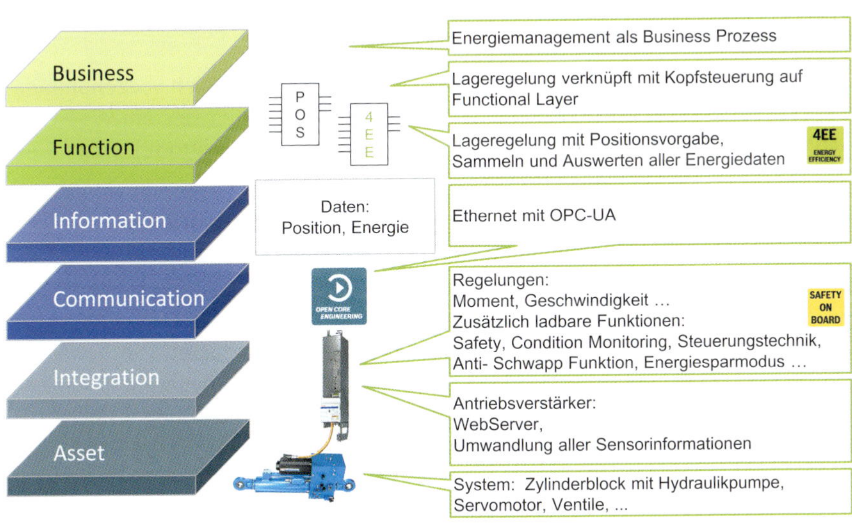

Quelle: ZVEI SG Modelle und Standards

Abbildung 35: Servo-hydraulische Achse strukturiert in RAMI4.0 Layern

7 Anwendung von RAMI4.0 in Wertschöpfungsnetzwerken

Im folgenden Abschnitt erfolgt der Blick auf ganze Wertschöpfungsnetzwerke, in denen mehrere Wertschöpfungspartner zusammen arbeiten, um Mehrwerte wie Produkte oder Dienstleistungen zu generieren.

7.1 Perspektiven auf Wertströme

Die heute eher sequenzielle Abarbeitung der unterschiedlichen Wertschöpfungsketten mit Produkten, Maschinen und Anlagen oder auch ganzen Fabriken wandelt sich mehr hin zu parallelen Wertschöpfungsketten bzw. zu ganzen Wertschöpfungsnetzwerken. Dabei hilft der sehr schnelle Austausch von Informationen bereits in der Ideen- und Entwicklungsphase über alle Lebenszyklen und Wertschöpfungsketten hinweg. Simulation wird in der Entwicklungsphase immer wichtiger bis hin zur „virtuellen Inbetriebnahme". Das verkürzt die Entwicklungszeiten von Komponenten, Maschinen und auch Fabriken erheblich. So können im operationalen Betrieb Produktionszeiten reduziert und notwendiger Service vorgeplant werden. Dabei können Wertströme und Lebenszyklen unter zwei unterschiedlichen Perspektiven betrachtet werden.

Die erste Betrachtung wird mit Anwendung des RAMI4.0 an sich vorgenommen. Wertschöpfungsketten und Lebenszyklus gibt es für jeden der einzelnen Abschnitte auf der Hierarchieachse, d. h. diese gelten für das Produkt, das Field Device, die Anlage und auch für die Fabrik.

Die zweite Betrachtung ergibt sich aus der Lieferkette. Wir unterscheiden nach Abbildung 36 einen Wertstrom 1 mit den Perspektiven „Zulieferer", „Komponentenhersteller", „Maschinen- bzw. Anlagenhersteller" sowie dem „Betreiber", dem „Endkunden" der Maschine bzw. Anlage. Auf den Maschinen bzw. Anlagen des Endkunden werden wiederum Produkte hergestellt. In der Regel werden die Maschinen und Anlagen an einen Wertstrom 2 geliefert. Dieser repräsentiert andere Branchen, z. B. Automobile, Medikamente, Chemie. Wird z. B. im Wertstrom 2 ein Auto hergestellt, dann sind die Fabriken für die Produktion der Autos noch Teil der Betrachtung in Industrie4.0. Der Teil des Wertstroms 2, der die Herstellung des Produkts (Assets) repräsentiert, ist also Industrie4.0 zuzuordnen. Der Teil des Wertstromes 2, der sich mit der *Verwendung* der Assets befasst, ist nicht mehr Teil von Industrie4.0. Die „Auto zu Auto"-Kommunikation, die „Navigation im Auto" oder der Betrieb des Autos im „Internet der Dinge" sind Teil des Wertstroms 2 in „Smart Mobility. Dort gibt es eigene Festlegungen und Normen, die von Industrie4.0-Festlegungen abweichen bzw. abweichen können.

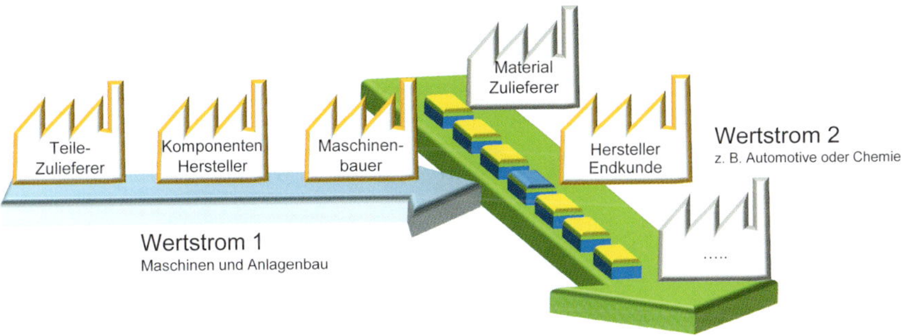

Quelle: ZVEI SG Modelle und Standards

Abbildung 36: Perspektiven in denen das RAMI4.0 angewendet wird

Industrie4.0 bietet dafür eine Schnittstelle, stellt Daten und Informationen aus seinem Bereich zur Verfügung und kann Daten und Informationen an dieser Schnittstelle empfangen.

Damit kommt Industrie4.0 eine Schlüsselrolle innerhalb des gesamten „Internet of Things and Services" (IoTS) zu. Unter IoTS wird die Digitalisierung und Vernetzung über alle Branchen hinweg verstanden (Abbildung 37). Zur besseren Abgrenzung wird das IoTS in einzelne Bereiche wie „Smart Grid", „Smart Mobility", „Smart Home" und eben „Industrie4.0" unterteilt. Sie alle repräsentieren einen bestimmten Wertstrom 2. Alle Bereiche sind über das IoTS miteinander vernetzt. Die Sonderrolle von Industrie4.0 im IoTS ergibt sich daraus, dass die Produkte für die anderen Bereiche im Rahmen von Industrie4.0 entwickelt und produziert werden, bevor sie in einem der anderen Bereiche (Wertstrom 2) Verwendung finden. So werden z.B. Fahrzeuge im Rahmen von Industrie4.0 produziert, um dann in Smart Mobility verwendet zu werden. Das gilt auch für Herzschrittmacher in „Smart Health", Mittelspannungsanlagen für „Smart Grid" oder die Herstellung „Weißer Ware" für „Smart Home"-Anwendungen. In dem Fall, dass Produkte des Wertstroms 2 wieder Produkte der Industrie sind, z.B. die Herstellung eines Servomotors, eines Hydraulikventils oder einer speicherprogrammierbaren Steuerung (SPS), gehören die Maschinen und Anlagen wieder zu einem Zulieferer, einem Komponentenhersteller oder einem Maschinen- bzw. Anlagenbauer des Wertstroms 1. D.h., dass diese ganzheitlich bis zum Ende ihres Lebenszyklus in Industrie4.0 betrachtet werden und alle Standards und Normen des Wertstroms 1 zur Anwendung kommen. Dabei ist RAMI4.0 in allen Perspektiven anzuwenden.

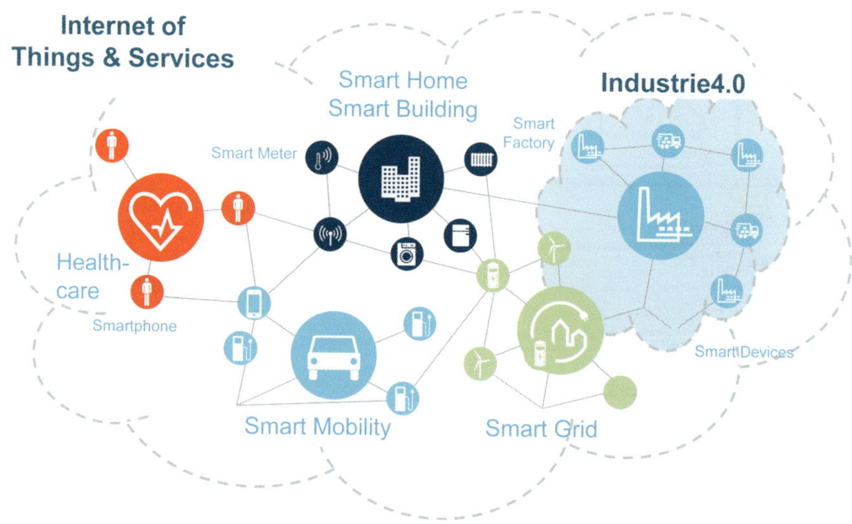

Quelle: Plattform Industrie4.0

Abbildung 37: Internet of Things & Services (IoTS) und die Rolle von Industrie4.0

7.2 Perspektiven auf Daten und Informationen

Die Bedeutung von Daten steigt im Umfeld von IoTS erheblich. Dabei werden Daten und Informationen den Assets mittels Services angeboten bzw. werden von ihnen abgefragt. Nur wenn Informationen der verschiedenen Assets die gleiche Bedeutung und jeweils einen eindeutigen Identifikator besitzen, können Assets miteinander kooperieren.

Durchläuft ein Asset, wie in Abbildung 36 dargestellt, die verschiedenen Phasen im Wertstrom 1 vom Hersteller über einen Maschinen-/Anlagenbauer bis hin zum Betreiber der Maschine/Anlage (Endkunde), dann entstehen über deren unterschiedlichen Perspektiven verschiedene Informationen zu demselben Asset.

In Abbildung 38 ist als Beispiel die Herstellung eines Servomotors dargestellt. Erste Daten entstehen aus Herstellerperspektive bei der Entwicklung und Herstellung des Motors entsprechend der RAMI4.0-Hierarchie-Achse auf der Ebene „Produkt“ (Abbildung 39). Der Hersteller fertigt und beschreibt den Servomotor strukturiert gemäß den Regeln vom RAMI4.0. Danach wird der Motor an einen Maschinenbauer geliefert und der Maschinenbauer erzeugt für seine Maschine (Asset) aus seiner Perspektive in der Maschine weitere Informationen.

Wenn der Servomotor in der Maschine betrieben wird, entstehen aus Perspektive des Endkunden z.B. Livedaten (Abbildung 40). Der Servomotor wird in der Hierarchie des RAMI4.0 als „Field Device“ betrachtet und verwendet.

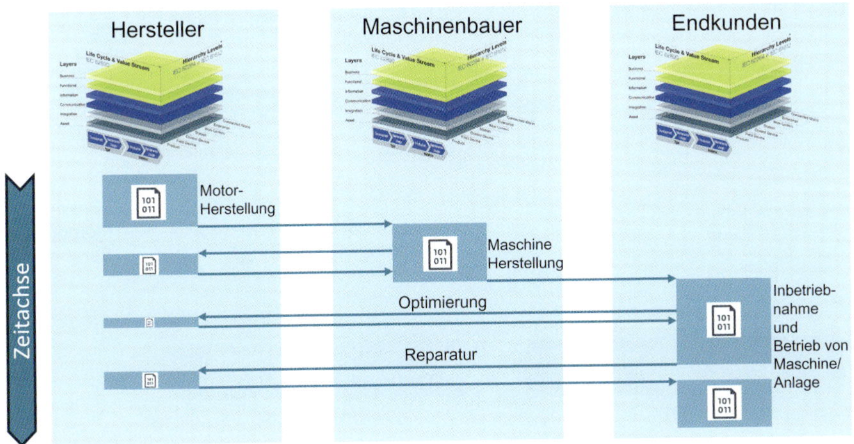

Quelle: ZVEI SG Modelle und Standards

Abbildung 38: Daten über die verschiedenen Perspektiven

Entwicklungsdaten und Unterlagen	Änderungs-, Revisionsdaten	Produktionsdaten	Servicedaten
Konstruktion: ▪ mechanisch ▪ elektrisch ▪ Fluidik Daten und Dateien Simulation Kaufmännisch inkl. Lieferdaten Eigenschaften Katalogdaten Lieferanten …	Produktnummer Revisionen Stücklisten Arbeitspläne Produktionskonzept Verpackung Dokumentation Datenblätter …	Rohstoffe/Zukauf: Materialien Chargen Ist-Daten-Fertigung Qualitätsdaten Seriennummer Konfiguration Werkskalibrierung …	Ersatzteile durchgeführte Reparaturen Wartungen Kundenparameter

Funktion:
Produkt
Servomotor

Development → Maintenance Usage (Type) → Production → Maintenance Usage (Instance)

Quelle: ZVEI SG Modelle und Standards

Abbildung 39: Beispieldaten beim Hersteller eines Servomotors

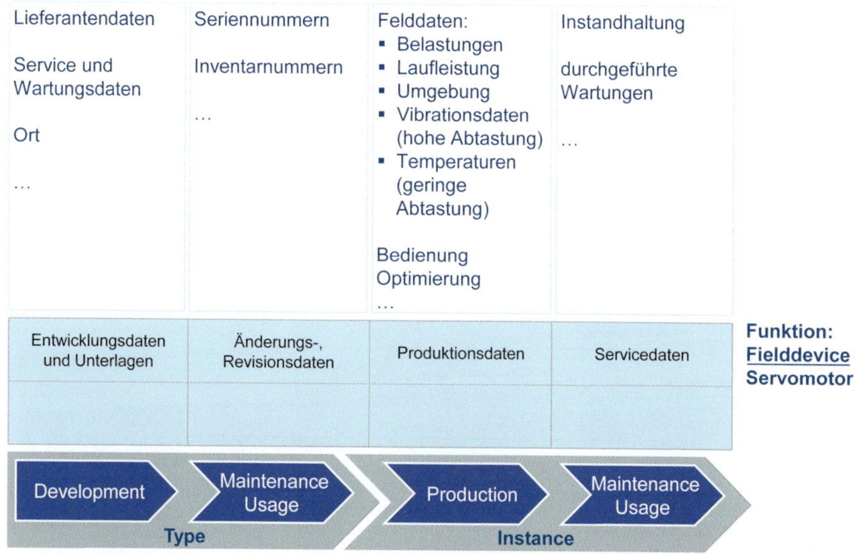

Quelle: ZVEI SG Modelle und Standards

Abbildung 40: Beispieldaten im Lebenszyklus des Servomotors bei einem Anlagenbetreiber

8 Spiegelung der physischen Welt in die Informationswelt

Heute werden Systeme in der Informationswelt unter Berücksichtigung der physischen Welt geplant und realisiert. Dass diese Berücksichtigung zu jedem *relevanten Zeitpunkt* während der gesamten Lebenszeit eines Assets bzw. einer Anordnung aus Assets aktuell gehalten werden sollte, ist heute nicht Bestandteil eines Entwurfsprozesses. Es existiert dafür keine durchgängige Methodik.

Das hat Gründe. Bislang war ein *Gegenstand* ein real existierendes Ding. Der Begriff „Gegenstand“ kann „alles meinen, wovon überhaupt die Rede ist“ [7]. Üblicherweise bezeichnet der Begriff keine Lebewesen, in Industrie4.0 kann ein Lebewesen aber *wie alles andere* Bestandteil einer Industrie4.0-Anordnung sein, mit der Konsequenz ein Lebewesen, also auch den Menschen in die Informationswelt zu spiegeln. Nur so kann eine homogene in sich geschlossene I4.0-konforme Informationswelt entstehen.

Jedes *relevante* Asset einer I4.0-Anordnung wird als informatisches Spiegelbild der physischen Welt in der Informationswelt in Form einer I4.0-Komponente mit ihrer Verwaltungsschale repräsentiert. Das ist vergleichbar mit dem Malen eines Bildes, in das der Maler nur die aus seiner Sicht relevanten Objekte der physischen Welt in sein Bild („Informationswelt“) übernimmt. Dabei wird in Industrie4.0 die Relevanz durch die anwendungsbezogene zu erbringende Funktionalität bestimmt.

Die das Referenz-Architektur-Modell Industrie4.0 (RAMI4.0) spezifizierenden Experten waren sich von Beginn an einig, dass mit ihrer Erfahrung von zusammengenommen mehreren hundert Jahren die bisherigen Verfahren zum Spiegeln einer Anordnung in der Informationswelt, z. B. einer Anlage, deutlich verbessert werden müssen. Denn es fehlt bislang ein konsistenter Prozess, der die hinreichende Abbildung (*Spiegelung)* eines relevanten Gegenstands der physischen Welt in die Informationswelt ermöglicht. Dabei wird im Gegensatz zu einem Maler, der selbst bestimmen kann, welche Objekte er wie in sein Bild übernimmt, der Entwurf, z. B. einer Anlage, durch ihre zu erbringende Funktionalität bestimmt. Die Spiegelung der Assets in die Informationswelt ist im Unterschied zu einem Maler nicht ins Belieben des Systemdesigners gestellt. Die dafür in Industrie4.0 spezifizierten Regeln zur Abbildung der physischen Welt in der Informationswelt müssen nachhaltig und konsistent angewendet werden.

8.1 Objektwelten

Abbildung 41 zeigt eine Auswahl von Objekten, die zu Assets werden, wenn sie für ein bestimmtes Vorhaben von Wert sind. Auch wenn meist nur von physischer und Informationswelt die Rede ist, so muss die durch den Menschen repräsentierte humane Welt immer mit betrachtet werden. Daher kennt Industrie4.0 drei miteinander in Beziehung stehende Welten, bei denen der Mensch mittels seines Verstands und Sachkenntnis die Kontrolle über die beiden anderen Welten ausübt.

Da in der physischen Welt prinzipiell alle Gegenstände für Zwecke in Industrie4.0 von Wert sein können, kann sich die Informatik nicht darauf berufen, Einschränkungen bei der Abbildung der physischen Welt in die Informationswelt seien z. B. wegen fehlender Methodik oder nicht verfügbarer Werkzeuge nicht zu vermeiden. Im Gegenteil: Es ist eine Herausforderung für die Informatik, auch für komplexe Industrie4.0-Aufgabenstellungen die geeigneten Methoden und Werkzeuge zur Verfügung zu stellen. Diese Anforderung hinreichend zu erfüllen, ist eine wesentliche Voraussetzung zum Gelingen in IoTS und letztlich auch in Industrie4.0.

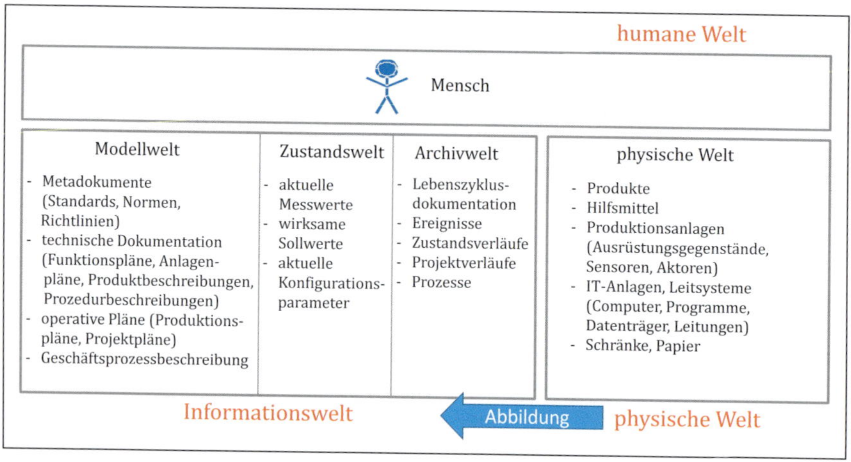

Abbildung 41: Gliederung der Objektwelten mit Beispielen nach DIN SPEC 91345/IEC 63088

8.2 Prinzipielles zur Methodik der Spiegelung

Soll ein Asset für die Repräsentation in der Informationswelt beschrieben werden, ist zuvor klarzustellen, um was es sich bei dem Asset genau handelt.

Es ist ein großer Unterschied, ob es sich um z.B. die Automatisierungskomponente einer Anlage, um die Anlage selbst oder gar um den Fertigungsprozess handelt, der in der Anlage abläuft. All dies können in Industrie4.0-Assets sein. Die Erfahrung hat gezeigt, dass man das jeweilige Asset möglichst genau benennen muss, um mittels geeigneter Merkmale die Spiegelung in die Informationswelt hinreichend genau vornehmen zu können.

Zur Spiegelung von Assets der physischen Welt in die Informationswelt, also zur Darstellung eines „Gegenstands von Wert“ in Form maschinenverarbeitbarer Daten, beschreibt IEC 62507 einen Weg anhand des schon auf Platon, Aristoteles und andere zurückgehenden semiotischen Dreiecks, wie es Abbildung 42 zeigt.

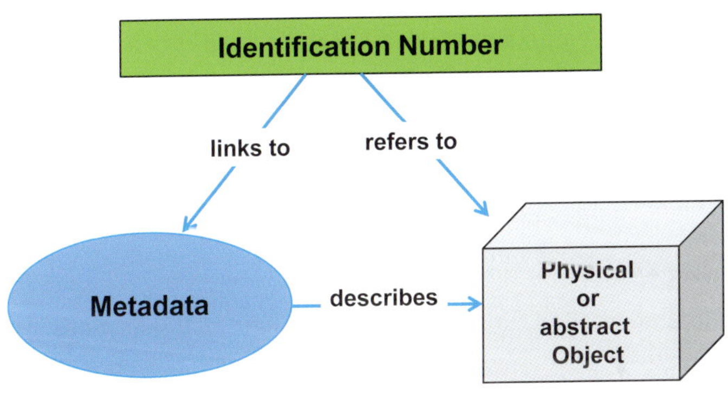

Abbildung 42: Semiotisches Dreieck nach IEC 62507

Demnach wird ein in der Informationswelt darzustellender Gegenstand („Physical or abstract Object“) durch seine Metadaten („Metadata“) und einen Identifikator („Identification Number“) charakterisiert.

Für die Spiegelung der physischen Welt in die Informationswelt von Industrie4.0 stellen sich nachstehende Fragen:

- Welche Bedeutung hat der geforderte Identifikator, welches Format besitzt er und wer erzeugt ihn?
- Welche Metadaten sind relevant, wie werden sie erzeugt und welches Format besitzen sie?

Beginnen wir mit dem Identifikator als Teil des Zugriffspfads auf ein Asset.

8.3 Identifikatoren

Jedes Asset einer Industrie4.0-Anordnung muss von anderen Assets angesprochen werden können. Dazu muss zunächst die für den jeweiligen Kontext, beispielsweise Instanz/Produktion, relevante Verwaltungsschale identifiziert werden (Abbildung 43). Erst zu diesem Zeitpunkt kann eine Kommunikationsadresse, z.B. eine IPv6-Adresse, bestimmt werden, welche die elektronisch aktive Ansprache der Verwaltungsschaleninhalte ermöglicht. Da ein Merkmal, beispielsweise die Referenz auf eine Dokumentation, in einer Verwaltungsschale durchaus mehrmals vorkommen kann, ist sowohl jeweils ein Identifikator für das Merkmal an sich als auch seiner Instanz in der Verwaltungsschale nötig. Anschließend kann eine Wertzuweisung für die Merkmalsinstanz erfolgen.

Um eine Ansprache einer einzelnen Information oder Funktion für ein Asset zu realisieren, ist sowohl ein Identifikator für das Asset als auch für das Merkmal und die Merkmalsinstanz erforderlich. Von den Instanzen kann es viele geben.

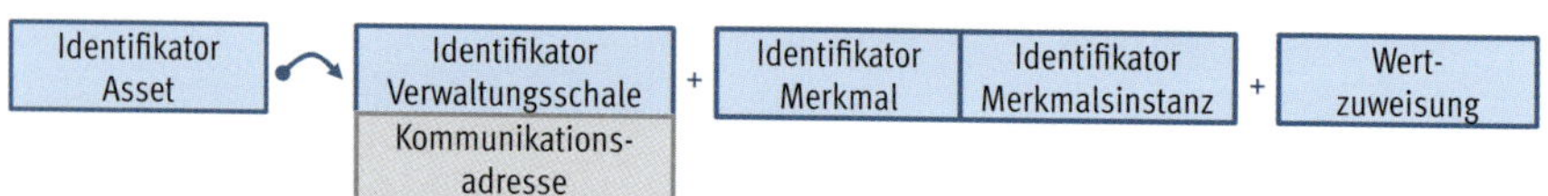

Quelle: Roland Heidel Kommunikationslösungen e.K.

Abbildung 43: Vollständiger Pfad zur Adressierung von Informationen eines Assets

Im Kapitel 12 zur Security wird ausgeführt, wie aus einem einfachen Identifikator eine Identität bzw. eine sichere Identität wird.

Zugelassen zur Identifikation sind in Industrie4.0 nach heutigem Stand zwei Verfahren:

- „International Registration Data Identifier" (IRDI)
- „Uniform Resource Identifier" (URI)

Die Identifikation des Assets und dessen Objekten besteht keineswegs nur aus einer IPv6-Kommunikationsadresse, wie oft zu lesen ist.

8.3.1 International Registration Data Identifier (IRDI)

Abbildung 44 veranschaulicht den „International Registration Data Identifier", der nach den aufgeführten ISO/IEC-Normen gebildet wird. In Abbildung 45 sind drei Beispiele aufgeführt. Das erste Beispiel zeigt den IRDI des IEC Common Data Dictionary (CDD) mit seiner Merkmalsbibliothek für Merkmale verschiedener Branchen. Die zweite Zeile zeigt einen Identifikator für ISO-Objekte und die dritte Zeile den Aufbau des Identifikators für eCl@ss-Merkmale. Wie man erkennt, besitzt jede von der „registration authority" registrierte Institution einen Identifikator (International Code Designator ICD). Im Fall von eCl@ss ist dies z. B. die „0173".

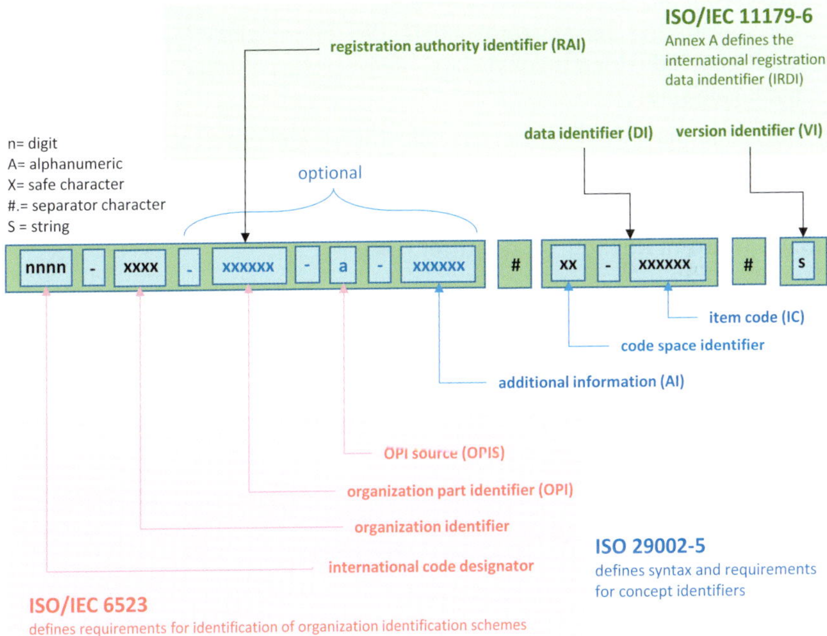

Quelle: ISO/TS 29002-5:2009 modifiziert

Abbildung 44: Identifikationspfad eines Merkmals mit International Registration Data Identifier (IRDI) nach ISO/IEC 11179-6

n= digit
A= alphanumeric
X= safe character
#.= separator character
S = string

ISO/IEC IRDI	nnnn	-	xxxx	-	xxxxxx	-	a	-	xxxxxx	#	xx	-	xxxxxx	#	s	
IEC CDD	0112	/	2	/		/	a	/	61360_4	#		-	AAE867	#	001	Proximity switch, Output Current
ISO	0112	-	1	-		-	a	-	18582	#		-	KAA802	#	s	Pneumatic valve
eCl@ss	0173	/	1	/		/		/		#	02	-	BAD792	#	s	Inductive distance sensor, Design of analogous output

Abbildung 45: Beispiele für International Registration Data Identifier (IRDI)

Damit sind folgende Grundvoraussetzungen für eine Industrie4.0-konforme Verwaltungsschale als Repräsentation eines Assets der physischen Welt in der Informationswelt von Industrie4.0 zu vermerken:

- Das Asset bildet zusammen mit seiner datentechnischen Repräsentation in Form der Verwaltungsschale die I4.0-Komponente.
- Die Verwaltungsschale einer I4.0-Komponente enthält eine Sammlung der ein spezifisches Asset repräsentierenden Informationen auf Basis eines künftigen Industrie4.0-Vokabulars, dessen wesentlicher Bestandteil die Merkmale sind.
- Diese Informationen besitzen das Industrie4.0-konforme Format und
- sind über das Industrie4.0-konforme Interface (API) verfügbar.

8.3.2 Uniform Ressource Identifier (URI)

Uniform Ressource Identifier sind in der IT-Technik weit verbreitet. Die im Internet verwendeten Uniform Ressource Locators (URL), beispielsweise „https://www.beuth.de“, stellen eine Sonderform der URI dar. Auch werden bei semantischen Technologien die einzelnen semantischen Elemente zumeist mithilfe eines URI identifiziert.

Nach RFC 3986 [8] definiert das Schema den Kontext und bezeichnet so den Typ des URI, was die Interpretation des folgenden Teils festlegt (Abbildung 46). Bekannte Schemata sind beispielsweise die Protokolle http und ftp. Der Begriff authority bezieht sich auf eine Instanz, die die Namen in diesem (vom Schema angegebenen Interpretations-)Raum zentral verwalten kann. Ein Beispiel dafür ist das Domain Name System DNS. Der Pfad (path) enthält Angaben, die zusammen mit dem Abfrageteil eine Ressource identifizieren. Der Abfrageteil (query) beinhaltet Daten zur Identifizierung von solchen Ressourcen, deren Ort durch die Pfadangabe allein nicht genau angegeben werden kann. Fragment ist der optionale Fragmentbezeichner und referenziert auf eine Stelle innerhalb einer Ressource.

scheme :	authority	path	query	fragment

Abbildung 46: Schematischer Aufbau eines Uniform Ressource Identifiers (URI) nach RFC 3986

Damit ist die Repräsentation eines Gegenstands von Wert (Asset) in der Informationswelt von Industrie4.0 beschrieben.

9 Die I4.0-Komponente

In diesem Kapitel wird die I4.0-Komponente beleuchtet, die eine virtuelle Repräsentation eines jeden Assets von Industrie4.0 in der Informationswelt schafft. Durch die I4.0-Komponente wird es möglich, relevante Informationen zu hinterlegen und echte Mehrwertdienste auf einer verteilten Basis in das System zu integrieren. Die Geschäftsmodelle der Zukunft können auf diesen technischen Leistungen aufbauen. Mit ihren Kooperationsmöglichkeiten wird die I4.0-Komponente zur Basis der neuartigen Anwendungsfälle, mit der die vierte industrielle Revolution einhergehen soll.

9.1 Motivation für ein Referenzmodell

Das Referenzmodell der I4.0-Komponente wurde in [19] erstmals formuliert und ist in der Lage, Assets in die Informationswelt zu spiegeln, unabhängig davon, ob diese Assets Anlagen, Maschinen, Komponenten, weitere Betriebsmittel, intelligente Produkte oder Produktionsaufträge darstellen. Ganz direkt geht es darum, eine Entität zu schaffen, in welche konkrete Entwicklungsleistungen eingebracht werden können, sei es in Form von Methoden, in Form von Informationsbereitstellung oder in Form von Funktionen und digitalen Mehrwertdiensten. Ziel ist es, ein Konzept zu bieten, welches in seiner Flexibilität den Anforderungen vieler Assets und vieler Industrien entsprechen kann und einige wiederkehrende Strukturen in allen Elementen der Industrie4.0 einführt.

Diese Strukturen sind so aufgebaut, dass sie den Bedürfnissen einer I4.0-konformen Kommunikation entsprechen und letztendlich Interoperabilität und Kooperation zwischen allen Elementen eines I4.0-Systems ermöglichen.

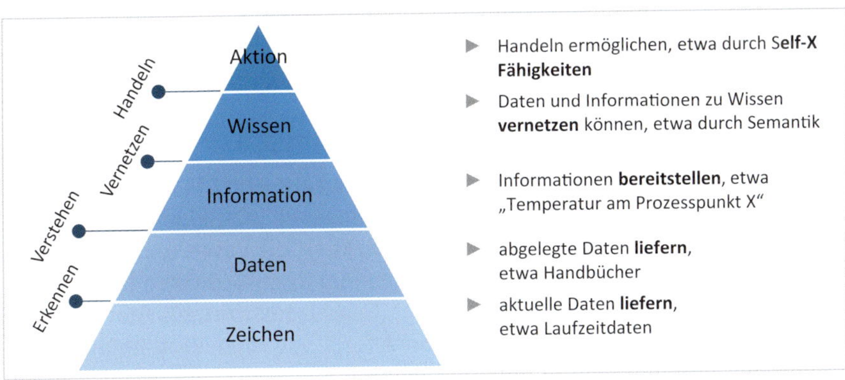

Abbildung 47: Wissenspyramide nach Fuchs-Kittowski als Paradigma für die Industrie4.0-Komponente

Dabei dient die Wissenspyramide nach Fuchs-Kittowski (Abbildung 47) als grundlegendes Paradigma für die Strukturierung der I4.0-Komponente. Jedes Asset in Industrie4.0 soll nicht nur Daten bieten und verarbeiten können, sondern auch Informationen und Wissen. Dafür ist es wichtig, Bedeutungen und Kontextinformationen bereitzustellen. Aus der Vernetzung von Informationen kann dann Wissen entstehen, aus dem automatisiert und kontinuierlich optimierend Aktionen abgeleitet werden.

Zur besseren Abgrenzung wird entsprechend den offiziellen Begriffsdefinitionen rund um Industrie4.0 [28] angenommen, dass mehrere I4.0-Komponenten Teile eines I4.0-Systems sind und durch eine I4.0-Plattform verfügbar gemacht werden, welche eine „(standardisierte) Kommunikations- und Systeminfrastruktur mit erforderlichen Management- und Produktivdiensten einschließlich definierter QoS(Quality of Service)-Eigenschaften" [28] bereitstellt (Abbildung 48).

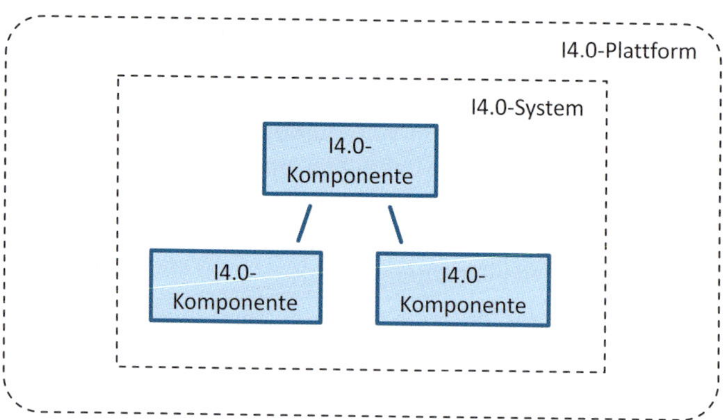

Abbildung 48: Abgrenzung der Begriffe im Kontext der I4.0-Komponente

9.2 Grundlegende Idee der I4.0-Komponente

Die Idee der I4.0-Komponente ist es, jedes relevante Asset in der Industrie4.0 mit einer sogenannten Verwaltungsschale zu umgeben (Abbildung 49). Während das Asset in der realen Welt verhaftet ist, reflektiert die Verwaltungsschale das Asset in der Informationswelt auf den oberen fünf RAMI-Schichten (Integration, Kommunikation, Information, Funktionen, Geschäftsprozesse). Statt nur bei einem Asset kann eine Kombination von Assets mit einer Verwaltungsschale umgeben werden.

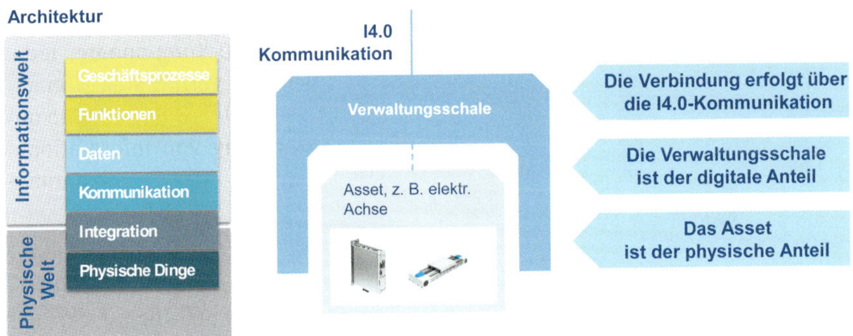

Quelle: ZVEI SG Modelle und Standards

Abbildung 49: Jedes Asset und jedes Produkt benötigen eine Verwaltungsschale, um in Industrie4.0 eingebunden zu werden

Das beschriebene Referenzmodell in [20] gibt für jede Verwaltungsschale eine ganze Reihe von Anforderungen vor, welche einen einheitlichen Aufbau und Ansatzpunkte für Interoperabilität und Kooperation bieten. Die Verbindung zu anderen Verwaltungsschalen erfolgt mittels der I4.0-konformen Kommunikation, wie im Dokument für Interaktionsmodelle [21] beschrieben.

9.3 Geltungsbereich der I4.0-Komponente

Nach Abschnitt 4, Abbildung 2 muss die Struktur der I4.0-Komponente für 15 Branchen und mehr grundlegend geeignet sein. In der Welt der industriellen Produktion liegt es zunächst nahe, sich den Maschinen und Anlagen an sich zuzuwenden. Schnell zeigt sich, dass nach dem Prinzip der Selbstähnlichkeit Maschinen und Anlagen aus Baugruppen und Komponenten bestehen, die den eigentlichen Fertigungsprozess nachhaltig beeinflussen. Daher ergibt es Sinn, nicht nur ganze Anlagen, sondern deren Teile, Baugruppen und Komponenten in die Betrachtung mit aufzunehmen (Abbildung 50). Diese Erweiterung gibt den Systemintegratoren und Herstellern von Komponenten die Möglichkeit, neue und höherwertige Funktionen in ihre Komponenten mit einzubauen. Die Strukturen von Industrie4.0 sind damit für die Dezentralisierung von Funktionen und für die Bereitstellung von Mehrwertdiensten bestens geeignet.

Letztendlich zeigt die Betrachtung, dass viele Assets, die heute nicht bereits mit einer aktiven Kommunikationsschnittstelle ausgerüstet sind („passive Kommunikationsfähigkeit"), wertvolle Bestandteile eines I4.0-Systems sind.

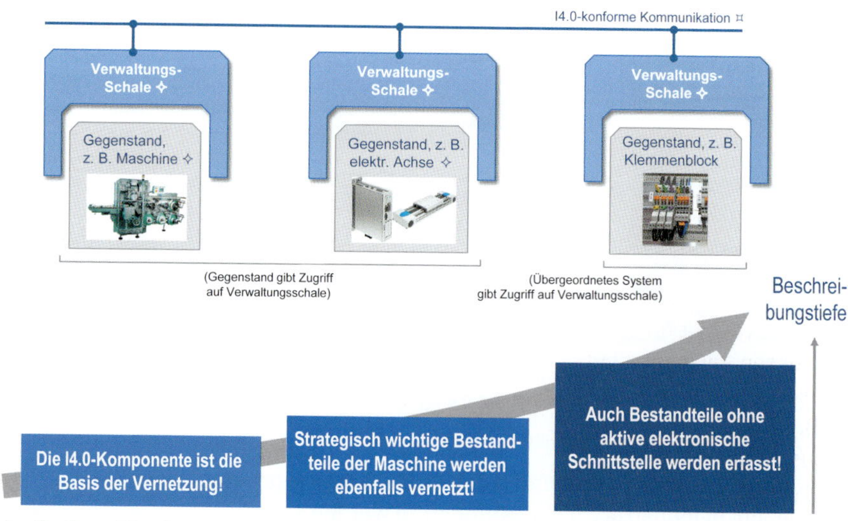

Quelle: Festo AG & Co. KG

Abbildung 50: Herleitung des Geltungsbereiches der I4.0-Komponente

Beispiele

- das eingespannte Werkzeug, welches den Fertigungsprozess nachhaltig prägt
- mechanische Achsen und Aufbauelemente, die für die Kinematik und Dynamik des Fertigungsprozesses wichtig sind
- Infrastrukturelemente, wie ein Klemmenblock, der im Fall einer falschen Belegung durch eine undokumentierte Wartung zum Ausfall der ganzen Anlage führen kann

Damit ist es sinnvoll, alle wichtigen einzelnen Assets einer Maschine oder prozesstechnischen Anlage mit Verwaltungsschalen zu umgeben und sie so zu aktiv handlungsfähigen Bestandteilen eines I4.0-Systems zu machen.

Entsprechend den Vorgaben von RAMI4.0 gelten Werkzeuge, Produkte, Materialien und Halbzeuge als Asset und können mit einer Verwaltungsschale umgeben werden. Dies bedeutet, dass sie Funktionen und Mehrwertdienste bereitstellen können und so zentrale Planungs- und Ausführungssysteme in der Fabrik entlasten.

Letztlich sieht RAMI4.0 vor, auch immaterielle Assets mit einer Verwaltungsschale zu umgeben. Damit wird es möglich, ein Produktionssystem als ein agiles und wandlungsfähiges System von abgegrenzten Einheiten in Hardware und

Software zu betrachten, die jeweils eigene Zieldefinitionen verwalten können und über die I4.0-konforme Kommunikation miteinander kooperieren, um die notwendigen Logistik- und Fertigungsprozesse einer industriellen Produktion zu bewältigen.

9.4 Datentechnische Abbildung der Verwaltungsschale

Mit der Ausweitung des Geltungsbereichs von I4.0-Komponenten auf passiv kommunikationsfähige Assets hat die I4.0-Standardisierung einen großen Schritt getan. Auf diese Weise können in einheitlicher Form alle Assets erfasst werden, welche für die Planung und Ausführung von Logistik- und Fertigungsprozessen relevant sind. Der Betriebspunkt verschiebt sich damit von einer ausschließlich datentechnischen Begleitung der Betriebsphase einer Maschine (z.B. im technischen Sinne des IoTS) hin zu der umfassenden Optimierung der industriellen Produktion als solcher.

Damit wird es möglich, die anderen Lebenszyklusphasen von technischen Einrichtungen, Maschinen und Fabriken als nur den Betrieb als solchen zu erfassen. So können z.B. die zahlreichen Planungs-, Auswahl- und Engineering-Prozesse unterstützt werden, welche für eine Verkürzung der Produktlebenszyklen hinsichtlich Zeit und Kostenaufwand weiter optimiert werden müssen.

Somit gilt für die IT-Systeme in den Smart Factories und Smart Plants, dass der Zugriff auf Verwaltungsschalen möglich sein sollte, auch wenn beispielsweise Maschinen- und Anlagenteile noch nicht oder noch nicht produktionsbereit sind, wie im Falle eines Umbaus. Das Konzept der Verwaltungsschale sieht daher vor, dass die I4.0-konforme Kommunikation darüber abstrahiert, wo die Daten und Funktionen der Verwaltungsschale gespeichert sind. Die Struktur der Verwaltungsschale [20] beschreibt daher (mindestens) zwei Fälle:

9.4.1 Verwaltungsschale durch das Asset selber bereitgestellt

Im diesem Fall (Abbildung 51) besitzt das aktiv kommunikationsfähige Asset selbst die Möglichkeit, Zugriff auf die Daten und Funktionen der Verwaltungsschale bereitzustellen, etwa durch einen eingebauten Prozessor, eine Ethernetschnittstelle und lokalen Speicher.

Diese Bereitstellungsweise hilft und beschränkt gleichzeitig die Migration auf Industrie4.0. Sie hilft der Migration, da ein Einsatz von entsprechenden Assets, also beispielsweise Komponenten der Komponentenhersteller, automatisch geeignete und zum Asset passende Verwaltungsschalen bereitstellen kann. Der Bezug und Einbau des Assets macht die Verwaltungsschale automatisch verfügbar. Gleichzeitig wird eine Migration behindert, da zunächst alle Assets

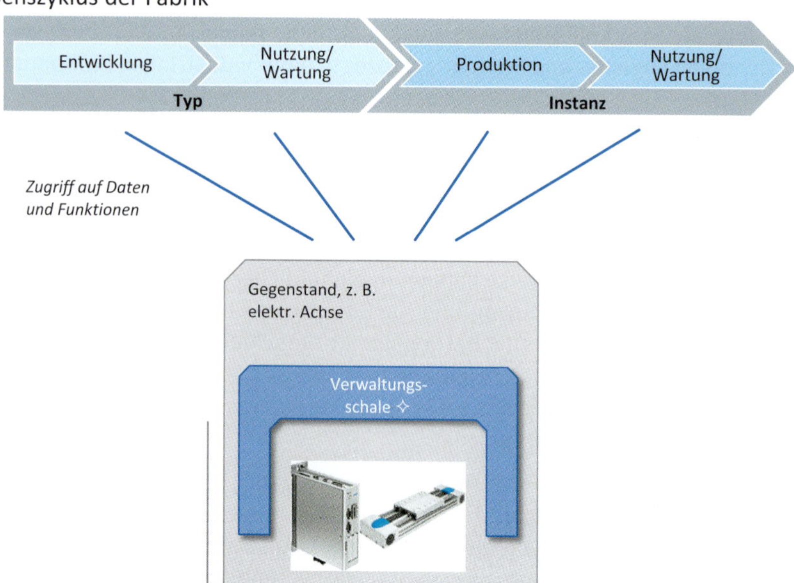

Quelle: ZVEI SG Modelle und Standards

Abbildung 51: Verwaltungsschale, durch das Asset selbst bereitgestellt

ertüchtigt werden müssen, diesen Zugriff auf die Daten und Funktionen abzubilden. Dies erfordert im Regelfall eine Änderung an den Assets und hat erhöhte Herstellkosten zur Folge.

Eine solcherart bereitgestellte Verwaltungsschale kann nur dann bei Planungs- und Engineeringprozessen helfen, wenn der datentechnische Zugriff (die I4.0-konforme Kommunikation) auf das Asset bereits realisiert ist. Das einzelne Asset wird damit zum „Single point of failure" für die Planungs- und Engineeringprozesse.

9.4.2 Verwaltungsschale durch ein zentrales Repository bereitgestellt

In einem anderen Szenario (Abbildung 52) wird die Verwaltungsschale durch ein zentrales Repository bereitgestellt. Ein solches Repository kann fabrikweit effizient und mit geregelten Pflegeprozessen die Verwaltungsschalen für viele, auch passiv kommunikationsfähige Assets, bereitstellen. Verteilte Repositorys sind ebenfalls denkbar.

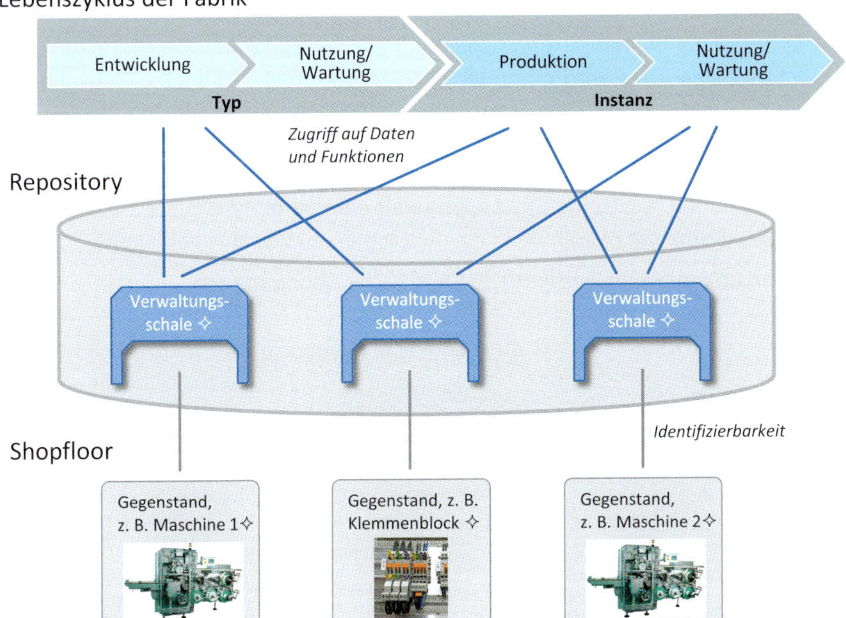

Quelle: ZVEI SG Modelle und Standards

Abbildung 52: Verwaltungsschale durch ein zentrales Repository bereitgestellt

In diesem Szenario bildet die weltweit eindeutige Identifizierbarkeit von Asset und Verwaltungsschale die Verbindung zwischen den Assets „vor Ort" und den zentral gehaltenen Verwaltungssschalen. Mit dieser Identifizierung kann die Verwaltungsschale vom Hersteller bezogen werden, sobald eine Komponente zum ersten Mal genutzt wird („Inbesitznahme").

Ein solches Szenario garantiert eine hohe Verfügbarkeit und Aktualität der Verwaltungsschalen für alle Lebenszyklusphasen. So kann mit den Daten auch dann weitergearbeitet werden, wenn eine einzelne Komponente einmal vom Netz getrennt ist. Auf diese Weise wird ein „Brownfield-Szenario" für die I4.0-Migration gut abgebildet. Sofern Komponenten über eine weltweit eindeutige Identifizierung verfügen, können passende Verwaltungsschalen auch nachträglich bereitgestellt werden.

9.5 Dynamische Vernetzung von I4.0-Komponenten

Die Entwicklung bei Industrie4.0 soll einer ganzen Reihe von Anwendungsfällen gerecht werden. Dies wird mit einer strikten Hierarchisierung von Betriebsmitteln und Komponenten nicht erreicht, wie dies z. B. häufig mit den physischen Modellen der IEC 61512-1/ISA88 beziehungsweise IEC 62264/ISA95 assoziiert wird. Der Ansatz des RAMI4.0 ist es daher, durch eine übergeordnete I4.0-konforme Kommunikation eine anwendungsfall-adäquate, dynamische Vernetzung von Produkt über die Maschine bis in die Connected World zuzulassen.

Dies wird an drei Fällen verdeutlicht (vergleiche Abbildung 53).

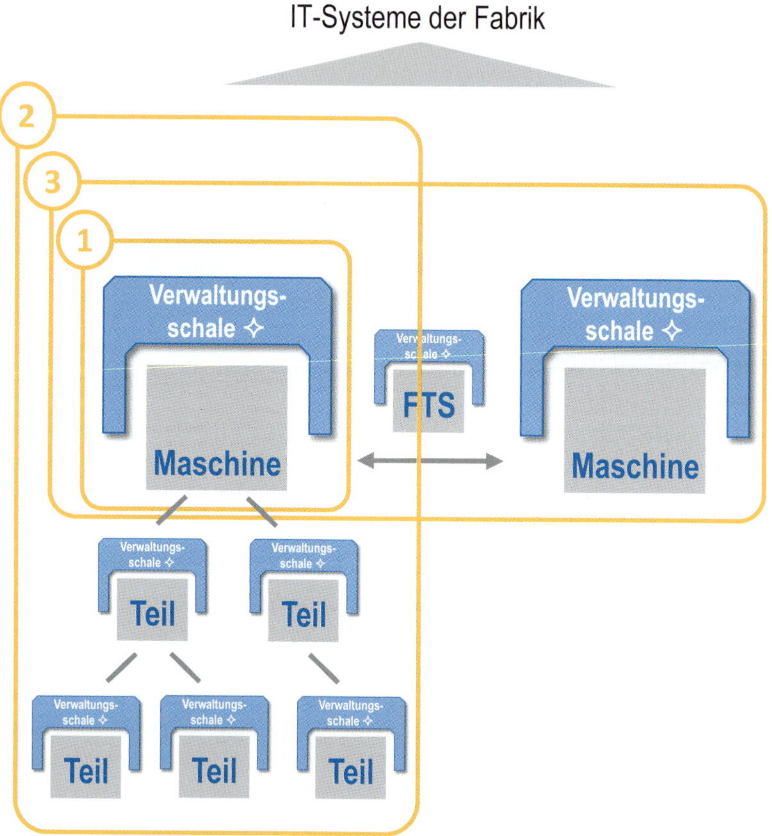

Abbildung 53: Verschiedene Anwendungsfälle benötigen unterschiedliche Vernetzung von I4.0-Komponenten

9.5.1 Aktivierung des Betriebs

Wenn es um eine klassische Aktivierung einer Maschine im Sinne eines MES geht, so kann die Maschine als Ganzes begriffen werden (Fall 1 in Abbildung 53). Nachdem die Maschine gerüstet und Materialien und Halbzeuge vorhanden sind, erfolgt eine Aktivierung der Maschine als Ganzes. Dies billigt der Maschine, beispielsweise ihrer Steuerung, das Recht zu, die einzelnen Teile und Ressourcen entsprechend dem internen Steuerprogramm zu nutzen. Das Know-how der Fertigungsausführung ist in der Maschine verortet, daher ist es aus Gründen der Fortentwicklung der Technologie, der Komplexität und der Gewährleistung häufig sinnvoll, die Maschine als in sich geschlossene Fertigungseinheit zu begreifen und den Fertigungsprozess von außen, so denn einmal angestoßen, nicht zu stören.

Das bedeutet: Es sollte eine Verwaltungsschale existieren, die die Maschine bzw. Anlage als Ganzes im Sinne ihrer Fertigungs- und Prozessfähigkeiten beschreibt. Diese Verwaltungsschale dient somit als Adressat beispielsweise eines MES, wenn es um die Aktivierung von Fertigungsaufträgen geht. Sie sollte auch einen Maschinenzustand bereitstellen, beispielsweise ob die Maschine betriebsbereit, produzierend, in Wartung oder Störung ist. Eine solche Verwaltungsschale könnte durch die übergeordnete Maschinensteuerung (SPS) bereitgestellt werden.

9.5.2 Assetorientierter Zugriff

Andere Anwendungsfälle werden es notwendig machen, „in die Maschine hinein"zublicken (Fall 2 in Abbildung 53). Vom Standpunkt eines Asset-Managements oder einer Wartungsplanung ist es wichtig zu fragen, wie viele elektrische Achsen eines Herstellers in einem Werk verwendet werden, um für eine entsprechende Bevorratung mit Ersatzteilen zu sorgen und maschinenübergreifend Wartungen zu planen. Daher sollte der Zugriff auf diese Informationen, sei es die physische Konfiguration der Komponenten, ihre Wartungspläne, Lebenszyklusereignisse (z.B. Umbauten), Mehrwertdienste zu Ersatzteilbestellung oder Diagnose und weiteres, nicht a priori durch die übergeordnete Verwaltungsschale der Maschine als Ganzes behindert werden.

Dieses Beispiel zeigt, dass es nicht darum gehen sollte, zu einem gewissen Zeitpunkt, etwa der Konstruktion der Maschine, die Informationen einer Verwaltungsschale in einer anderen Verwaltungsschale aufgehen zu lassen. Verwaltungsschalen von wichtigen Komponenten unterliegen entsprechend ihrer Assets ihrem eigenen Lebenszyklus. So sollten Mehrwertdienste nachgerüstet werden können, Umbauten erleichtert und Gewährleistungsgrenzen zwischen Herstellern respektiert werden.

Aus diesen Gründen ist es sinnvoll, dass Verwaltungsschalen für ihre Assets darüber berichten können, aus welchen Untereinheiten sie bestehen. Haben diese Untereinheiten allerdings ihrerseits Verwaltungsschalen, so sollten diese als eigenständige I4.0-Komponenten ausgeführt und über das RAMI4.0 verortet und untereinander über Referenzen vernetzt werden. Dies ist mit dem Konzept „Schachtelbarkeit" in [19] beschrieben (Abbildung 54).

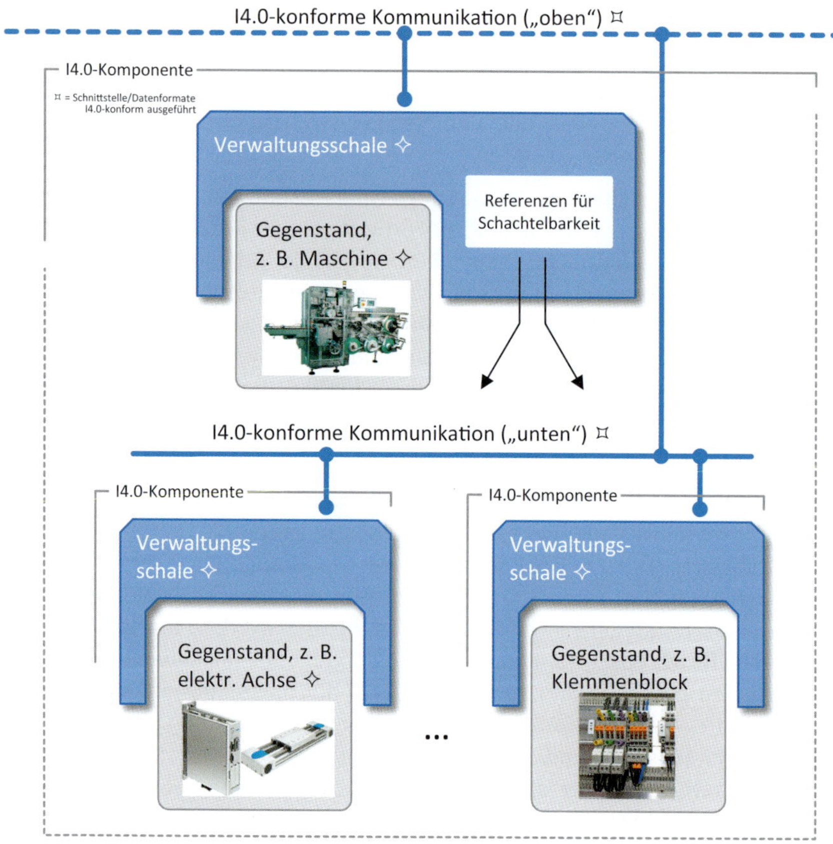

Quelle: ZVEI SG Modelle und Standards

Abbildung 54: Schachtelbarkeit von Industrie4.0-Komponenten aus [19]

9.5.3 Dynamische Kooperationen

Weitere Anwendungsfälle werden zeigen, dass eine solche Vernetzung von I4.0-Komponenten auch dynamisch zu erfolgen hat (Fall 3 in Abbildung 53). Dies kann z. B. der Fall sein, wenn ein fahrerloses Transportsystem (FTS) zunächst mit einer Fertigungsstation kooperiert, um ein Werkstück zu liefern, zu positionieren und zu fixieren und dann diese Kooperation wieder löst, um sich zur nächsten Fertigungsstation weiter zu bewegen. Dies können Fälle sein, bei denen sich Fertigungsstationen zentrale Ressourcen (z. B. Belade-Roboter) teilen oder das intelligente Produkt als I4.0-Komponente sich selbstständig durch die Fabrik steuert.

Zusammenfassend ist zu erwarten, dass sich die Mengengerüste an zu bewältigenden Einheiten sowohl für übergeordnete Fabriksysteme als auch für die Maschinen- und Anlagen selbst verändern werden. Übergeordneten Fabriksystemen wird es möglich sein, Hunderte und Tausende von I4.0-Komponenten auf dem Shopfloor zu entdecken. Diese Menge muss verwaltet, kategorisiert und beherrscht werden. In der Maschine und Anlage wird es zunehmende Mengen von I4.0-Komponenten geben: seien es wichtige Komponenten wie elektrische Achsen, die z. B. parallel über einen Feldbus (Industrie 3.0) erreichbar sind, oder seien es viele passiv kommunikationsfähige Assets, die wichtige Daten, Funktionen und Mehrwertdienste in der Maschine oder Anlage bereitstellen können.

Die I4.0-Plattform und die I4.0-konforme Kommunikation müssen dabei dafür sorgen, dass sich diese zunehmende Anzahl heterogen strukturierter I4.0-Komponenten finden, verbinden und miteinander kooperieren können. Strukturen in Industrie4.0 sind nicht mehr statisch, sondern dynamisch. Das RAMI4.0 wird zum Markplatz der Fertigungsfähigkeiten.

9.6 Welche Informationselemente sollte die Verwaltungsschale aufnehmen?

Das Konzept der I4.0-Komponente soll es erlauben, möglichst viele Bestandteile der Maschine oder Anlage, seien sie passiv oder aktiv kommunikationsfähig, an eine I4.0-konforme Kommunikation anzubinden. Ziel ist die herstellerübergreifende Kooperation dieser Bestandteile in unterschiedlichsten Anwendungsszenarien. Dazu muss ein gewisses Maß an Informationen und Funktionen I4.0-konform bereitgestellt werden. Die gesteigerten Ansprüche von „Data analytics“ (Abschnitt 9.8) versuchen dabei so viele unterschiedliche Informationen wie möglich im Zugriff zu haben.

Ziel des Informationsmanagements in der Verwaltungsschale einer jeden I4.0-Komponente ist es daher, möglichst viele Informationen über standardisierte Informationselemente I4.0-konform abzubilden. Das Informationsmanagement soll so flexibel sein, dass im Idealfall der Hersteller einer I4.0-konformen Komponente auf proprietäre Schnittstellen verzichten kann und die Inbetriebnahme, Betrieb und Wartung der Komponente über die jeweils gleiche I4.0-Plattform erfolgen können.

Quelle: ZVEI SG Modelle und Standards

Abbildung 55: Unterschiedliche Merkmalsmengen, die eine I4.0-Komponente bewältigen sollte

Dazu stellt sich zunächst die Frage, aus welchen Quellen sich die zu bewältigende Menge an Informationselementen („Merkmalen") in einer I4.0-Komponente speisen. Abbildung 55 zeigt hier eine Dreiteilung:

Harte Standards

Die mengenmäßig kleinste, aber hoch bedeutsame Menge sind die Merkmale, die in sogenannten „harten Standards" beschrieben werden. Diese Merkmale werden häufig im kaufmännischen und technischen Wettbewerb verwendet und sind häufig Bestandteil von Leistungsangeboten und Zusicherungen. Sie beziehen sich auf Maße, Beschaffenheit, Leistungsparameter, Einsatzbedingungen, Eignungen, Zertifikate und weiteres. Hersteller versuchen Eigenschaften zu beschreiben, die zuverlässiges Geschäft und Betrieb ihrer Produkte in den jeweiligen Domänen (beispielsweise „Pneumatik" oder „Chemie") zulassen.

Konsensuale Findung von Merkmalen

Um im Business-to-Business (B2B)-Bereich Produkte und Dienstleistungen ausreichend beschreiben zu können, reichen die Merkmale aus harten Standards bei Weitem nicht aus. Hier werden größere Merkmalsmengen gefordert. Diese sollen im Interesse des Kundennutzens eine herstellerübergreifende Vergleichbarkeit gewährleisten. Um dies effizient zu erreichen, setzen sich die Hersteller für eine konsensuale Findung von Merkmalen zusammen, beispielsweise im Verein eCl@ss e.V. Hier werden sowohl eindeutige Klassifikationen von Produkten und Dienstleistungen verabredet als auch eindeutige und standardisierte Merkmale zu jeder dieser Klassen. Eine dieser Klassen ist in Abbildung 56 gezeigt; eCl@ss bietet heute schon mehr als 18000 eindeutige Merkmals-Definitionen mit stark steigender Tendenz an.

Die konsensuale Findung von Merkmalen ist vergleichsweise effizient und kann schnell neue Merkmale erzeugen. Es ist denkbar, über an die Software-Entwicklungen angelehnte Methoden gewisse Domänen agil und kollaborativ beschreiben zu können. Die Information über die festgelegten Merkmale ist frei zugänglich[8], eine Nutzung mit vertretbaren Lizenzgebühren möglich.

Durch konsensualen Beschluss können „kalte Standards“, z.B. das Format einer Signalliste, als etabliert bestätigt und in den Datenverkehr von Industrie4.0 aufgenommen werden.

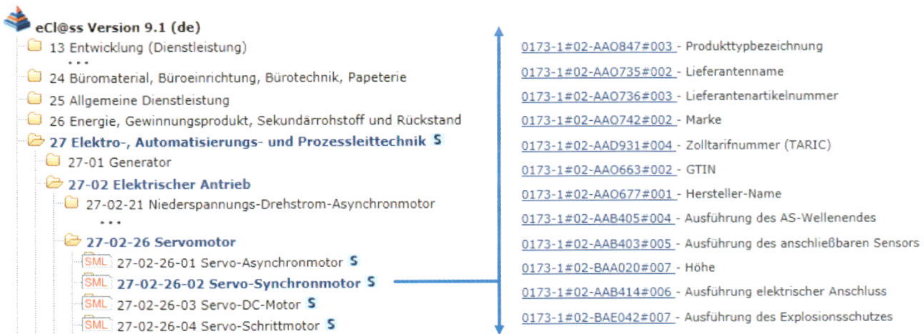

Quelle: eCl@ss e.V.

Abbildung 56: Klassifikation von „Servo-Synchronmotor“ auf der Webseite von eCl@ss und einige zugehörige Attribute.

8 Siehe [16].

Freie Merkmale

Letztendlich kann ein einheitliches Informationsmanagement in der I4.0-Komponente dazu verwendet werden, von verschiedenen Anwendern frei gewählte und für Hersteller proprietäre Merkmale aufzunehmen. Durch eine geeignete Identifikation ist dabei sicherzustellen, dass diese freien Merkmale nicht mit standardisierten kollidieren. Somit können Hersteller das Datenformat der standardisierten Informationselemente für sich nutzen, ohne den Inhalt selbst standardisieren oder offenlegen zu müssen. Natürlich bieten diese Merkmale dann nicht den Vorteil, von anderen Systemen, als vom Erzeuger der Merkmale vorher bekannt gegeben, verwendet zu werden.

Die Menge der freien Merkmale kann beliebig groß sein. Auch interne Firmenstandards können als freie Merkmale verwaltet werden, so denn nur die Identifikation sicherstellt, dass sie nicht mit anderen Merkmalsmengen kollidieren.

Durch die Möglichkeit, freie und herstellerspezifische Merkmale mittels der I4.0-Plattform zu verteilen und zu verwenden, können Hersteller darauf verzichten, proprietäre Schnittstellen für die Inbetriebnahme, den Betrieb und die Wartung ihrer Komponente vorzusehen. Sie nutzen stattdessen die Infrastruktur der I4.0-Plattform, um etwa eine Konfiguration in ihren Geräten zu hinterlegen. Es entfällt damit z.B. die Pflege proprietärer Software und die entsprechende Schulung von Mitarbeitern.

Zusammenfassend kann gesagt werden, dass das Informationsmanagement Merkmale ganz unterschiedlicher Herkunft und Geltungsbereiche zusammen verwalten kann, solange das Grundformat für solche Merkmale hinreichend beschreibend ist und eine geeignete Identifikation der Merkmale in der Lage ist, die verschiedenen Mengen sicher voneinander zu trennen.

9.7 Ausführung der standardisierten Informationselemente (Merkmale)

Als Format für die standardisierten Informationselemente nutzt die I4.0-Komponente die IEC 61360-1/-2 mit ihrem Pendant ISO 13584-42 (Abschnitt 6.2.1). Zu einem Datenelementtyp sind durch die Norm 39 Attribute festgelegt, welche durch den jeweiligen Autor zur genaueren Beschreibung des Datenelementtyps herangezogen werden können. Diese Attribute sind so gewählt, dass sie sowohl eine maschinelle Verarbeitung der Datenelementtypen erlauben als auch Informationen beinhalten, welche Menschen zum Verständnis der Bedeutung der Datenelementtypen benötigen. Die Wertebereiche dieser Datenelementtypen können ebenfalls genau beschrieben werden, inklusive diskreter

Wertelisten. Eine Auswahl relevanter Attribute erfolgte bereits in Abbildung 11 in Abschnitt 6.2.1 oder ist etwa in [23] zu finden.

Datenelementtypen (Merkmale) können in sogenannte Dictionaries zusammengefasst werden, jeder Datenelementtyp erhält dazu eine eindeutige Identifikation.

Die dargestellte Beschreibung von Merkmalen wird bereits seit langer Zeit in den nationalen und internationalen Standardisierungsorganisationen verwendet (IEC, ISO, eCl@ss, DIN) und stellt damit eine gut eingeführte und langfristig abgesicherte Möglichkeit zur Modellierung von Fachdomänen dar. Es ist davon auszugehen, dass eine Merkmalsbeschreibung mit diesen Attributen auch noch in 5, 10 oder sogar 15 Jahren Bestand hat, selbst wenn über die Zeit einige neue Attribute hinzukommen. Da davon ausgegangen werden muss, dass in Industrie4.0 viele verschiedene IT-Systeme diese Merkmale verarbeiten müssen, stellt dieses Datenmodell einen ausgezeichneten Investitionsschutz für Software dar.

Die genannten Standardisierungsorganisationen und Institutionen haben bereits viele Fachdomänen der industriellen Produktion untersucht und in Dictionaries gefasst (etwa auch im IEC Common Data Dictionary CDD). Eine Verwendung dieses Datenmodells für Merkmale lässt erwarten, dass diese bereits erfolgten Beschreibungen von Fachdomänen für die Verwaltungsschale in Industrie4.0 genutzt werden können.

Aus diesen Gründen erfolgt in [20] die Festlegung, dass Industrie4.0-konforme Informationen in der Verwaltungsschale mithilfe von Merkmalen abgelegt werden. Allerdings stellen die oben dargestellten Datenelementtypen ausschließlich die semantische Definition der Merkmale bereit. Eine Verwaltungsschale muss neben dem Verweis auf diese Definitionen aktuelle Werteaussagen bereitstellen können. Daher werden in Verwaltungsschalen diese Werte zusammen mit der Aussage, ob diese eine Anforderung, eine Zusicherung oder einen Messwert darstellen, abgelegt [23]. Damit sind sowohl Werte (Daten im Sinne von Fuchs-Kittowski, siehe Abbildung 47) als auch die jeweilige eindeutige Bedeutung hinterlegt, sodass echte Informationen bereitgestellt werden können.

9.8 Merkmale und semantische Technologien

In den letzten Jahren konnte eine Explosion der technischen Datenanalyse beobachtet werden, die sich in den Schlagworten „Big data“, „Data analytics“, „Ontologien“ und dem Profil des „Data Scientist“ niederschlägt. Dabei ist es wichtig zu beachten, dass sich die Möglichkeiten dieser Datenanalyse nicht nur aus verbesserten Algorithmen und mathematischen Modellen speisen. Es ist genauso wichtig, ein maschinenlesbares formalisiertes Verständnis der Zusammenhänge zu besitzen und Experten zu haben, welche die richtigen Fragen in Form von Analyseläufen stellen können, um die Ergebnisse richtig aufbereiten zu können.

Mithilfe der semantischen Technologien lassen sich die Zusammenhänge größerer Beziehungsgebilde, eben der Ontologien, analysieren und neues Wissen ableiten. Diese Technologien stellen vielfältige Abfragemöglichkeiten für dieses Wissen, etwa per SPARQL, bereit. Diese Technologien zeigen auf, wie Wissensarbeiter in der Zukunft agil und kollaborativ zusammenarbeiten können, um neue Bedeutungszusammenhänge (semantisch: „Konzepte") zu verabreden [24]. Wenn man heute in die größte Suchmaschine die Frage eingibt „Wie hoch ist der Eiffelturm?", so antwortet diese mit der korrekten Antwort und stellt die „architektonische Höhe" in Bezug zu anderen Bauwerken dar (siehe Abbildung 57). Dies wird dadurch möglich, dass sich die Betreiber verschiedener Webseiten mithilfe von „www.schema.org" dazu verabredet haben, die Höhe von Bauwerken jeweils gleich auf ihren jeweiligen Webseiten auszuzeichnen.[9]

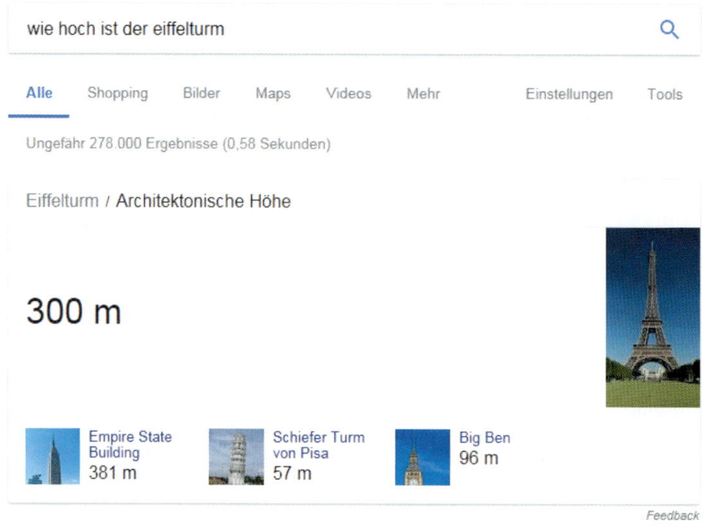

Quelle: Google

Abbildung 57: Semantisch gestützte Antwort einer Suchmaschine

9 Siehe http://schema.org/docs/gs.html#schemaorg_types.

Um diese neuen Möglichkeiten in Industrie4.0 nutzen zu können, muss eine unbedingte Verbindung zwischen den Merkmalswelten nach IEC 61360 und den semantischen Technologien geschaffen werden. Ein Aspekt dieser Verbindung besteht darin, dass das algorithmische Überführen (neudeutsch „Mappen") von Merkmalen in eine Ontologie trivial ist: Standardisierte Datenelementtypen lassen sich in semantische Konzepte überführen; mit Werten belegte Merkmale in semantische Instanzen oder Relationen (Abbildung 58).

Merkmal „AAE867" im **IEC 61360 Common Data Dictionary**

Subjekt	Prädikat	Objekt
AAE867	hasPreferredName	output current
AAE867	hasSymbol	Iopen
AAE867	hasPrimaryUnit	A
AAE867	hasDefinition	maximum dc output current of a semiconductor inductive proximity sensor at specified supply voltage
AAE867	hasDataType	LEVEL(MAX) OF REAL_MEASURE_TYPE
AAE867	hasFormat	NR2 S..3.3

Quelle: [20]

Abbildung 58: Beispielhaftes Mapping eines IEC 61360-Merkmals in semantische Aussagen

Ein weiterer Aspekt besteht darin, das Wissen von Verwaltungsschalen über Abfragesprachen wie SPARQL verfügbar zu machen (Abbildung 59).

```
PREFIX abc: <http://example.com/exampleOntology#>
SELECT ?current ?company
Where {
  ?x a abc:ProximitySensor .
  ?x abc:hasOutputDiameter ?y .
  ?x abc:isProducedBy ?company .
  ?x abc:hasOutputCurrent ?current .
  FILTER ( ?y < 4 )
}
```

Quelle: [20]

Abbildung 59: Beispielhafte SPARQL-Abfrage

Auf diese Weise kann die volle Kraft der semantischen Technologien für Analysen und Wissensgenerierung in Industrie4.0 genutzt werden. Die Ablage von Informationen erfolgt im Regelfall über Merkmale. Die Struktur der Verwaltungsschale [20] legt dabei fest, dass Merkmale auf andere Merkmale benannt verweisen können. Somit kann das Grundmerkmal aller Ontologien, die sogenannten Tupel, auch als Merkmal abgelegt werden.

9.9 Standardisierte Funktionen

Industrie4.0 verlangt nach einem großem Spektrum an Funktionen, welche über I4.0-Komponenten verteilt verfügbar gemacht werden können. Eine Analyse der Anwendungsszenarien der Plattform Industrie4.0 [25] zeigt die Vielfalt infrage kommender Funktionen auf:

- Verwaltung von Rezepten, Findung von geeigneten Rezeptparametern
- Verwaltung von Materialien und Materialkombinationen bzw. Prüfung auf Eignung für Fertigungsprozesse
- Verwaltung und Analyse von Messwerten, Zuordnung zu Betriebszuständen, Alarmen
- kontinuierliche Qualitätsanalyse
- Unterstützung des Variantenwechsels
- verteilte Funktionen zur Ansprache durch Fertigungsplanung (ERP) und -ausführung (MES)
- Unterstützung von Tracking und Tracing
- energieoptimierte Betriebszustände
- Verwaltung und Neubewertung von logistischen Prozessen und Bearbeitungsreihenfolgen
- Planung von Wegen, Routen, Bearbeitungsreihenfolgen, Ressourcennutzung
- Anstoßen von Bestellungen, externen Logistikprozessen
- Bereitstellung von Transportmöglichkeiten oder temporäres Lagern
- Unterstützung des Engineerings, Auslegung und Konfiguration von Systemelementen
- vorausschauende Wartung und Unterstützung von Wartungsprozessen
- kontextsensitive Diagnose technischer Störungen
- ortsbezogene Wartungs- und Planungsassistenz
- Simulations-, Emulationsfunktionen und Lernunterstützung für den Menschen
- Unterstützung von Wiederverwendung und Verwertung, Zerlegbarkeit, Materialzusammensetzungen

Für die Nutzung in den verschiedenen Lebensphasen ergibt sich für diese Funktionen die Anforderung, in ganz unterschiedlichen Ausführungsumgebungen verteilt und aktiviert werden zu müssen. Im Sinn der Unified Modelling Language (UML) stellt dies eine Anforderung für ein automatisches „Deployment" in unterschiedliche „Execution environments" dar.

So ergibt sich:

Unterstützung von Engineering bedingt Verteilung auf den Arbeitsplatzrechner des Konstrukteurs, auf dem Abteilungsserver, zentrale Bereitstellung im Product Lifecycle Management (PLM) System oder zunehmend in die Cloud.

Unterstützung von Simulation und virtueller Inbetriebnahme: Dies bedingt eine Verteilung in die einzelne Komponente, auf einen zentralen Simulationsserver, in eine virtuelle Maschine, auf einen dezidierten Server oder auch zunehmend in die Cloud.

Unterstützung des Betriebs bedingt Verteilung in die Komponente, auf eine geeignete speicherprogrammierbare Steuerung (SPS), in ein System zur Fertigungsplanung (ERP) oder -ausführung (MES), in die Cloud oder als Web-Service.

Unterstützung der Wartung: Dies sieht bereits grundlegende Funktionen auf der Komponente vor. Sowohl eine Verteilung von Funktionen in die entsprechenden Steuerungen als auch auf den jeweiligen Wartungs-Laptop des befassten Personals kann notwendig sein.

Dabei liegen die zu verteilenden oder bereitzustellenden Funktionen in ganz unterschiedlicher Granularität vor, beispielsweise als:

- einzelne Funktion, etwa zur Aktivierung des Energiemanagements
- Funktions-Verbünde, wie etwa bei PLCopen Motion vorgesehen
- Bibliotheken, etwa als Quellcode oder kompilierte Bibliothek
- als vorkompilierte Module
- als eigenständige Applikation

Dieses großes Spektrum für die Funktionsausführung bedeutet, dass die Verwaltungsschale:

- als Zugriffspunkt für eigene Funktionalität des Assets dienen kann
- für die Bereitstellung von Bibliotheken für das „Deployment" und die Instanziierung von Funktionen in anderen Assets sorgen können muss
- Verweise auf zentrale Webservices, mit einer für die Cloud geeigneten Abstraktion unterstützen muss

Es ist davon auszugehen, dass die einzelne Verwaltungsschale geeignet durch die sie umgebende I4.0-Plattform befähigt werden muss. Eine Spezifikation dieser Mechanismen steht zurzeit (März 2017) noch aus.

9.10 Teilmodelle gruppieren die Informationen und Funktionen einer I4.0-Komponente

Komplexe Maschinen, Anlagen und Komponenten, also Betriebsmittel, benötigen ohne Zweifel Hunderte gar Tausende von Informationselementen und bieten Dutzende von Funktionen, die für die Verwendung in der Industrie4.0 relevant sind. Damit stellt sich die Frage, wie diese Mengengerüste bewältigt werden können. Eine weitere Herausforderung wird durch die Individualität der Betriebsmittel gestellt. Kaum eine Anlage gleicht einer anderen. Viele unterschiedliche Varianten, Eigenschaften und Ausführungen müssen berücksichtigt werden.

Aus diesem Grund teilt die Standardisierung die Informationen und Funktionen in sogenannte „Teilmodelle" auf, von denen angenommen wird, dass sie im Wesentlichen unabhängig voneinander existieren können. Teilmodelle können dabei einzelne, generelle Aspekte modellieren, von denen angenommen wird, dass sie bei vielen verschiedenen Maschinen und Anlagen eine wichtige Rolle spielen. Teilmodelle können auch spezialisierte Fähigkeiten repräsentieren, wie sie beispielsweise für Fertigungsprozesse wie Bohren, Fräsen, Schweißen und Montieren jeweils ein ganz eigenes Gerüst an Informationen und Funktionen erfordern. Selbstverständlich sind Teilmodelle nicht nur auf den Betrieb der Maschinen und Anlagen ausgerichtet, sondern auf weitere Lebensphasen, wie Planung, Engineering oder Wartung derselben.

Somit ergibt sich ein Ansatz, wie ihn Abbildung 60 verdeutlicht, bei dem die Individualität jedes einzelnen Assets durch eine charakteristische Kombination einzelner Teilmodelle abgebildet werden kann. Ein übergeordnetes System, sei es ein Fertigungsausführungs- (MES), ein Asset-Management- oder ein Planungs-System, muss nicht die Komplexität aller Informationen beherrschen, sondern greift im Regelfall nur auf einige wenige Teilmodelle innerhalb der Verwaltungsschalen der verschiedenen Assets zu.

Diese charakteristische Kombination von Teilmodellen erlaubt es, auf eine immer zu starre und nie ganz passende Klassifikation aller Assets einer Fertigung zu verzichten. Wird nach der Fähigkeit zu bohren gesucht, kann dies beispielsweise zunächst durch eine manuelle Bohrmaschine oder durch eine Werkzeugmaschine geschehen. Die weitere elektronische Verhandlung und Ausgestaltung der Kooperation wird dann das geeignetste Betriebsmittel identifizieren [21].

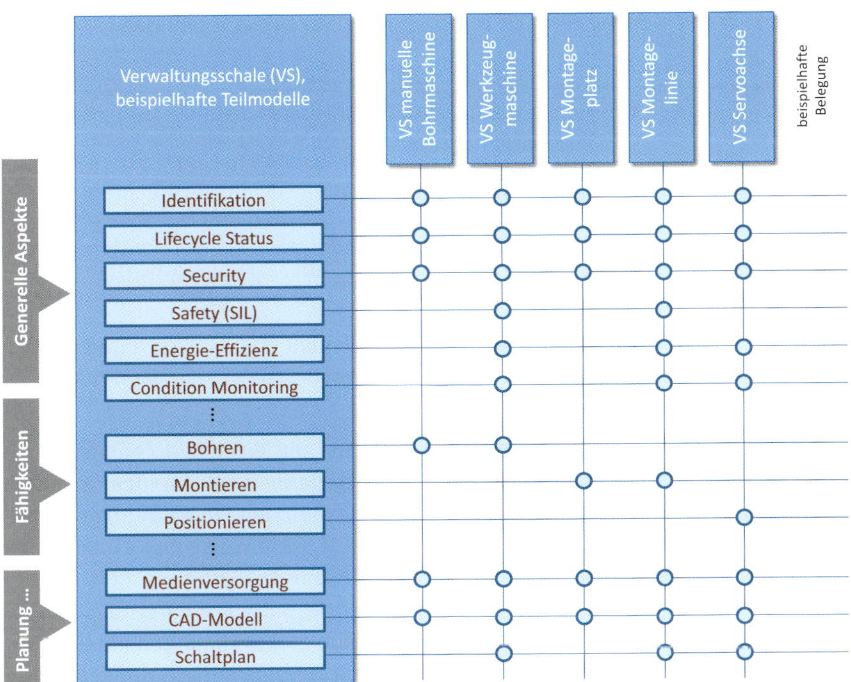

Abbildung 60: Jedes Asset ist durch eine charakteristische Kombination einzelner Teilmodelle gekennzeichnet

Dabei kann jedes der Teilmodelle Informationselemente (Merkmale) und Funktionen entsprechend der unterschiedlichen Merkmalsmengen aufnehmen, also solche aus den „harten Standards", der konsensualen Findung und Verabredung von Merkmalen, aber auch viele freie und für einzelne Hersteller proprietäre Merkmale (siehe Abschnitt 9.6). Daher gilt für die Merkmale einer Verwaltungsschale beziehungsweise für ein einzelnes Teilmodell innerhalb der Verwaltungsschale eines Betriebsmittels eine Klassifikation, wie sie Tabelle 3 festlegt. [20]

Tabelle 3: Verschiedene Klassen von Merkmalen in einem Teilmodell
Quelle: [20]

Basismerkmale	Merkmale, die für alle Verwaltungsschalen verpflichtend und standardisiert sind
Pflichtmerkmale	Merkmale, die für ein Teilmodell sowohl verpflichtend als auch standardisiert sind
optionale Merkmale	Merkmale, die standardisiert aber nicht verpflichtend sind für ein Teilmodell
Freie Merkmale	Merkmale, die im Teilmodell nicht standardisiert und nicht verpflichtend sind, z. B. herstellerspezifische Merkmale

Ziel der Standardisierung in Industrie4.0 ist es, die einzelnen Teilmodelle in ihren Pflicht- und optionalen Merkmalen zu standardisieren. Im Idealfall sollte es für einen Aspekt oder für eine Fähigkeitsbeschreibung ein eindeutig identifiziertes und wohldefiniertes Teilmodell geben. Auf diese Weise muss nicht jedes übergeordnete IT-System aufwendig an die jeweiligen Fertigungsstätten und Betriebsmittel angepasst werden. Unterstützende Software kann universeller angewendet und schneller zum Einsatz gebracht werden. Lösungen müssen weniger als heute auf einzelne Branchen angepasst werden, sodass die Verfügbarkeit verschiedener Lösungen für einen Anwendungsfall steigt. Mehr Wettbewerb und mehr Qualität können Einzug halten.

Damit stellt die Verabredung belastbarer Teilmodelle einen wichtigen Faktor für die Erreichung der Zielstellung von Industrie4.0 dar. Nur durch diese Verabredung wird es gelingen, auftragsgesteuerte Produktionen und partnerübergreifende Wertschöpfungsprozesse zu dynamisieren und zu optimieren. Wie eine Standardisierung von Teilmodellen gelingen kann, stellt [20] dar.

Gleichzeitig lässt es dieses Modell auch zu, weitere freie Merkmale in Teilmodelle einzubringen, Teilmodelle von anderen Teilmodellen im Sinne der Objektorientierung abzuleiten und damit in ihrer Differenzierung und Wettbewerbsfähigkeit zu erweitern oder schnell weitere Teilmodelle einzuführen. Die Hersteller müssen sich nicht auf den „kleinsten gemeinsamen Nenner" zurückziehen, sondern können ihre jeweiligen Unique Selling Propositions (USP) zusammen mit universeller Anwendbarkeit in Verwaltungsschalen kombinieren. Dieser Ansatz gleicht sehr dem Modell der „Companion Standards" von OPC UA, öffnet aber mit dem erweiterten Bereich an Information und Funktionalität gleichzeitig die Dimension in Richtung übergeordnete IT-Systeme, Geschäftsprozesse und Wertschöpfungsketten.

9.11 Identifikation für die verschiedenen Elemente der I4.0-Komponente

Um eine weithin verwendbare I4.0-konforme Kommunikation zu ermöglichen, setzt die Standardisierung der Industrie4.0 auf eine möglichst präzise Auswahl von freien und offen verwendbaren Identifikatoren für die verschiedenen wesentlichen Elemente der I4.0-Komponente.

Als zu identifizierende Elemente werden dabei betrachtet:

a) das oder die Assets einer I4.0-Komponente: Die weltweit eindeutige Identifikation eines Assets ist wesentlich für Industrie4.0 und ermöglicht es, die zugeordnete Verwaltungsschale in einem zentralen Repository zu halten (siehe Abschnitt 11.4). Idealerweise erlaubt die eindeutige Identifikation eines Assets es, die Verwaltungsschale oder weitere zugehörige Dienste direkt anzusprechen.

b) Verwaltungsschale: Jede Verwaltungsschale benötigt eine weltweit eindeutige Identifikation, unter der ihre Informationen und Funktionen abgerufen werden können. Häufig wird diese Identifikation auf eine Verwaltungsschale verweisen, die einem Instanz-Asset zugeordnet ist.

c) Teilmodelle in der Verwaltungsschale: Diese müssen innerhalb der Datenstruktur der Verwaltungsschale sicher unterschieden werden können. Gleichzeitig muss die grundsätzliche Definition des Teilmodells, also welche Pflicht- und optionalen Merkmale zu verwenden sind, eindeutig bestimmt werden können.

d) die Merkmale eines Teilmodells einer Verwaltungsschale: Da die Merkmale die wesentlichen Informationsträger der Industrie4.0 sind, ist eine semantisch eindeutige Benennung der Informationen sehr wichtig.

e) weitere Daten und Funktionen, die in oder über die Verwaltungsschale verfügbar gemacht werden sollen: Im Konzept der I4.0-Komponente werden diese Elemente über ein Merkmal abgebildet und darüber sicher identifiziert.

Als standardmäßige Identifikatoren für diese Elemente a) bis e) sieht nach Abschnitt 8.3 die Normung bei Industrie4.0 entweder „International Registration Data Identifier“ (IRDI) oder „Uniform Ressource Identifier“ (URI) vor. Diese werden als globale Identifikatoren bezeichnet (siehe Abbildung 61).

Zusätzlich sind für die Elemente c) bis e) auch interne Identifikatoren eines Herstellers erlaubt, sofern sie sicher von den beiden oben genannten zu unterscheiden sind. Damit kann jeder Hersteller seine Informationsmodelle nach Belieben mit den Strukturen der Verwaltungsschale ohne künstliche Beschränkung realisieren. Ein Zugriff von außen ist damit nur mit entsprechender Kenntnis möglich.

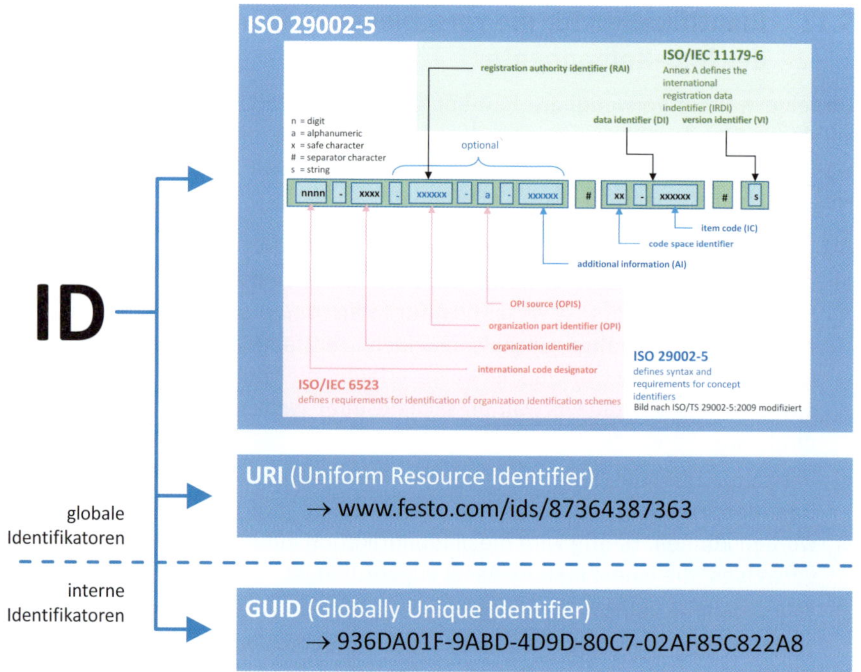

Quelle: [20]

Abbildung 61: Festlegung von globalen Identifikatoren und weiteren internen Identifikatoren für Industrie4.0 (siehe auch Abbildung 44)

Im Regelfall wird die Identifikation von Asset a) und Verwaltungsschale b) über eine „Uniform Ressource Locator“ (URL) erfolgen, welcher eine Unterart der URI darstellt. Dies erlaubt es, schnell eigene weltweit eindeutige Identifikatoren zu generieren, indem einfach die eigene Webadresse des Herstellers, Anbieters oder Betreibers eines Assets genutzt wird. Zusätzlich erlauben diese URL es, über den bezeichneten Webserver auf weitere Dienste zuzugreifen, um die Verwaltungsschale zu beziehen oder eine „Dereferenzierung“ auf weitere Informationen wie der GS1-Kennung vorzunehmen [20].

Zusätzlich zu der Identifizierung der Verwaltungsschale b) wird es zum sicheren Betrieb bei Industrie4.0 notwendig sein, sichere Identitäten für die Elemente a) und b) zu verwalten. Dies ist in [26] beschrieben.

9.12 Grobstruktur der Verwaltungsschale

In diesem Abschnitt werden die bereits dargelegten Ausführungen zusammengefasst und in eine Grobstruktur der Verwaltungsschale eingeordnet. Abbildung 62 zeigt die Grobstruktur, die gegenüber den Ausführungen in [20] etwas vereinfachter dargestellt ist. Sie stellt ein Referenzmodell der Strukturen dar und entspricht damit nicht direkt einer IT-festen Spezifikation für eine konkrete Herstellerimplementierung.

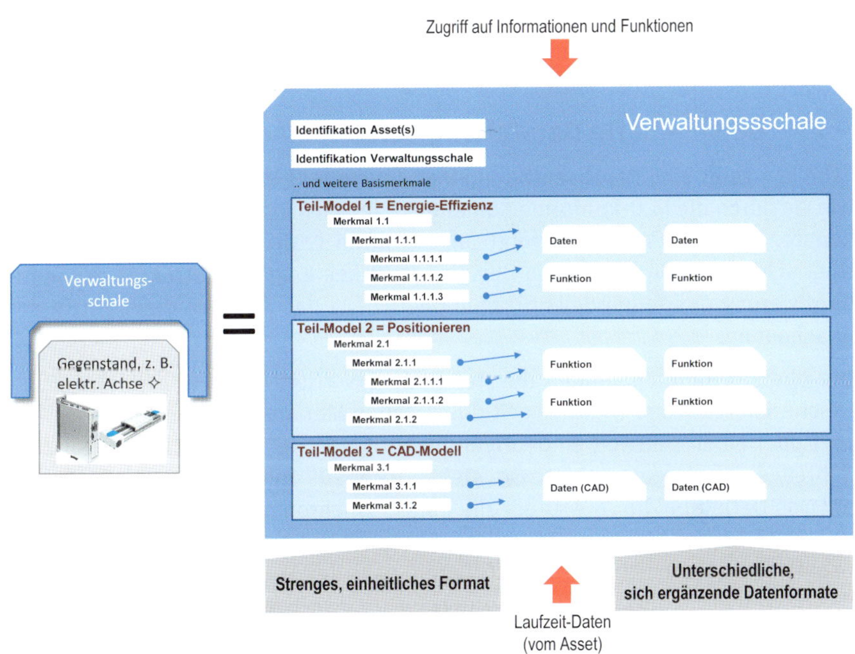

Abbildung 62: Grobstruktur der Verwaltungsschale, leicht vereinfacht (nach: [20])

Das abgebildete Beispiel für eine elektrische Achse trägt die Identifikatoren für die Assets „Servoverstärker" und „mechanische Achse" sowie den Identifikator für die Verwaltungsschale selbst. Die Verwaltungsschale umfasst 3 Teilmodelle, mit ihren jeweiligen Identifikatoren 1–3.

In den Teilmodellen sind Pflicht-, optionale und freie Merkmale zu finden. Diese können hierarchisch angeordnet sein und auf Daten und Funktionen verweisen. Die Merkmalshierarchien sind im einheitlichen Format der IEC 61360 abgebildet und dienen sowohl als Träger für I4.0-konforme Informationen als auch als Inhaltsverzeichnis für weitergehenden Daten und Funktionen. Während sich das Format der Merkmale selten oder nie ändert, können für die Daten und Funktionen unterschiedliche, sich ergänzende Datenformate genutzt werden.

Eine Verwaltungsschale kann aktuelle Werteaussagen, beispielsweise die aktuellen Ströme der Motorwicklungen, aufnehmen. Die I4.0-konforme Kommunikationsschnittstelle erlaubt sowohl das Erkunden der Strukturen der Verwaltungsschale, den Zugriff auf Daten und Funktionen als auch die notwendigen Pflegearbeiten an der Datenstruktur. Die Verwaltungsschale wird laufend aktualisiert und reflektiert damit stets die physische Welt.

9.13 Beispielhafte Darstellung eines Teilmodells

Tabelle 4 zeigt eine Repräsentation eines Teilmodells einer Verwaltungsschale, wie sie durch die I4.0-konforme Kommunikationsschnittstelle abgefragt werden könnte. Diese Darstellung erfolgt angelehnt an [23]; wurde im Interesse der Übersicht weiter verkürzt. Das Beispiel stellt keine spätere Struktur der Standardisierung des Teilmodells für Energieeffizienz dar, sondern dient einzig der Anschauung.

Die oberste Hierarchieebene des Teilmodells verfügt über zwei Blöcke „Elektrische Energie“ und „Aktuelle Ströme“. Jedes Merkmal, auch die Blöcke, verfügt über einen weltweit eindeutigen Identifikator, der hier in einer verkürzten Schreibweise dargestellt ist. So steht „BAA120“ mit der Version 7 für die eCl@ss-Definition für die Drehzahl eines Synchronmotors mit vollständiger ID „0173-1#02-BAA120#007“ (siehe Abschnitt 6.2.1). Durch Anfrage an die Schnittstelle lässt sich jederzeit abfragen, dass der Strom durch die Wicklung V des Servomotors derzeitig 0,2 A beträgt.

Ebenso hinterlegt ist eine Funktion „Setze Energieeffizienzmodus“. Durch Aktivierung dieser Funktion kann das Verhalten der Einheit geändert werden; die Aktivierung geschieht über die serviceorientierte I4.0-konforme Schnittstelle der Verwaltungsschale. Über das Merkmal „AAB025“ kann die Energiesparschaltung jederzeit abgefragt werden.

Tabelle 4: Beispielhafte Darstellung des Teilmodells Energie-Effizienz. (Verkürzt nach: Beispiele zur Verwaltungsschale der Industrie4.0-Komponente)

Hierarchie	ID	(bevorzugter) Name	Definition	Maßeinheit	Datentyp	Werteliste	Wert
+--	AAB010	elektrische Energie	Diese Gruppe fasst Merkmale zum elektrischen Energieverbrauch zusammen.	–	–	–	–
--|	AAB011	Verbrauch, aktuell	aktueller elektrischer Energieverbrauch	W	REAL	0..*	93,6 [W]
--|	AAB012	Verbrauch, kumuliert	kumulierter elektrischer Energieverbrauch	Wh	REAL	0..*	118,86 [Wh]
--|	AAB013	Kumulation Startzeit	Datum und Zeit für die Startpunkt der Kumulation des elektrische Energieverbrauchs	–	UTC Date & Time	n/a	2002-05-30 T09:30:10Z
+--	AAB020	aktuelle Ströme	Diese Gruppe fasst die Kennzahlen über aktuelle Ströme in der Einheit zusammen.	–	–	–	–
--|	AAB021	Strom U	aktueller Strom durch Wicklung U	A	REAL	0..*	1,2 [A]
--|	AAB022	Strom V	aktueller Strom durch Wicklung V	A	REAL	0..*	0,2 [A]
--|	AAB023	Strom W	aktueller Strom durch Wicklung W	A	REAL	0..*	0,8 [A]
F-=	AAB024	setze Energieeffizienzmodus	Setzt den Modus der integrierten Energiesparschaltung der Einheit.	–	INT	0..2	–
|--	AAB025	aktueller Energieeffizienzmodus	Gibt den aktuell aktiven Energieeffizienzmodus zurück.	–	INT	0..2	–

9.14 Entwurfsprozess für eine I4.0-Komponente

Abbildung 63 zeigt den aus drei Stufen bestehenden Abbildungsprozess zur Erzeugung einer I4.0-Komponente.

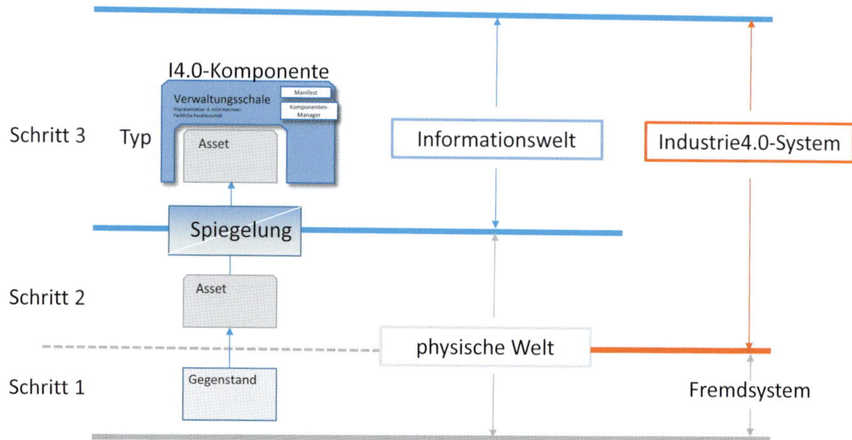

Abbildung 63: Spiegelung eines Gegenstands der physischen Welt in die Informationswelt

Schritt 1 –Auswahl eines Gegenstands

Ein beliebiger Gegenstand, der geeignet sein könnte, für ein I4.0-Vorhaben von Wert zu sein, wird ausgewählt.

Schritt 2 – Strukturierung der Informationen eines Assets

Hat sich herausgestellt, dass der betreffende Gegenstand für einen bestimmten Zweck in einer I4.0-Anordnung von Nutzen ist, wird er zum Asset. Der zum Asset gewordene Gegenstand der physischen Welt muss eine Repräsentanz in der Informationswelt erhalten. Dazu müssen die Informationen eines Assets strukturiert werden. Diese Strukturierung erfolgt gemäß dem Referenzarchitekturmodell Industrie4.0 (RAMI4.0).

Schritt 3 – Spiegelung des Assets in die Informationswelt durch Erzeugung der I4.0-Komponente

In diesem Schritt wird das reale Asset mit seiner Repräsentanz in die Informationswelt überführt, die mit dem Asset logisch untrennbar verbunden ist.

Dabei gilt grundsätzlich, dass für jeden relevanten Sachverhalt der physischen Welt ein Sachverhalt in der Informationswelt existieren sollte. Umgekehrt muss nicht jedem Sachverhalt in der Informationswelt ein Sachverhalt der physischen Welt entsprechen, z.B. kann die digitale Repräsentation eines Assets in der Informationswelt als Archiv weiterleben, auch wenn das Asset der physischen Welt bereits lange entsorgt wurde. Da jeder Gegenstand auf dieser Welt einem *Alterungsprozess*[10] unterworfen ist, ist die Berücksichtigung der Zeit bei der Abbildung von großer Bedeutung. Daher ist darauf zu achten, den Zeitpunkt der Abbildung und alle relevanten Veränderungen zu registrieren, um damit Inkonsistenzen der Abbildungsergebnisse zwischen den Assets auszuschließen bzw. solche ggf. ermitteln zu können.

Die damit entstandene I4.0-Komponente zeichnet sich durch die Bestandteile „Asset" und „Verwaltungsschale" als nach RAMI4.0 strukturierte Sammlung aller relevanten Informationen in der Informationswelt von Industrie4.0 aus.

Anhand der beschriebenen Schritte lässt sich auch die heutige Situation bei Systementwürfen gut beschreiben. Heutige Systementwürfe werden häufig ohne einen verlässlichen und klaren Abbildungsprozess realisiert. Schlimmstenfalls beginnt man bei Schritt 3 mit einem flüchtigen Blick auf das Asset des Schritts 2. Folglich kann auch für die Qualität dieses Prozesses nicht garantiert werden, d.h. die Informationen der Informationswelt geben nicht unbedingt, und besonders nicht zu jedem relevanten Zeitpunkt, die Situation der physischen Welt wieder.

9.15 Entwurfsprozess für ein System aus I4.0-Komponenten

Da eine bestimmte übergeordnete Funktionalität erst durch eine bestimmte Anordnung und Verbindungen von Assets erzielt werden kann, besteht die Aufgabe darin, eine Orchestrierung von Assets in Form ihrer I4.0-Komponenten vorzunehmen, was üblicherweise „Engineering" genannt wird. Ziel ist eine Anordnung, in der die Komponenten geeignet zusammenwirken. Abbildung 64 zeigt den kompletten Systementwurfsprozess für eine Anordnung vom einfachen Gegenstand über das Asset und dessen Abbildung in der Informationswelt mit Typen und Instanzen.

10 Jedes physische Material unterliegt einem Alterungsprozess. Aber auch Immaterielles unterliegt der Alterung. Bei Programmen drückt sich der Alterungsprozess z.B. in Form von Versionsänderungen aus.

Dabei entsprechen die ersten drei Schritte den Schritten aus Abbildung 63. Der vierte Schritt besteht in der Orchestrierung mehrerer Assets/I4.0-Komponenten zu einer I4.0-Anordnung, z. B. einer Anlage.

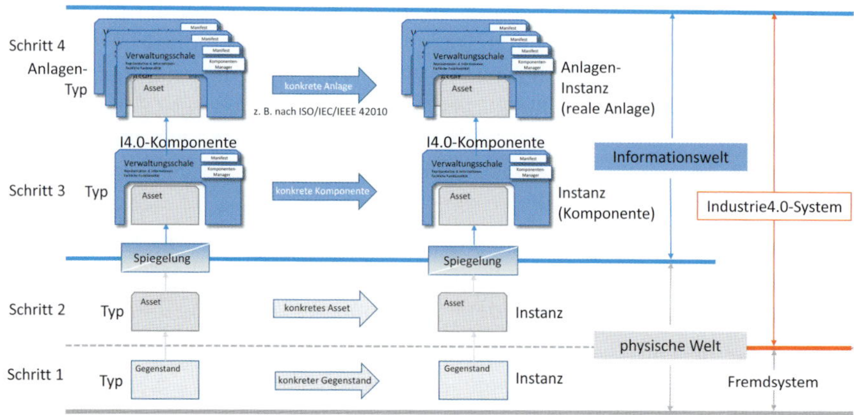

Abbildung 64: Entwurfsprozess für eine Industrie4.0-Anordnung, beispielsweise eine I4.0-Anlage

10 Assetverbünde und Beziehungskomplexe

In diesem Abschnitt soll das Zusammenwirken mehrerer I4.0-Komponenten betrachtet werden.

10.1 Kooperationen

Nach Wikipedia [9] ist „Kooperation (lateinisch cooperatio ‚Zusammenwirkung', ‚Zusammenarbeit') das zweckgerichtete Zusammenwirken von Handlungen zweier oder mehrerer Lebewesen, Personen oder Systemen in Arbeitsteilung, um ein gemeinsames Ziel zu erreichen". In dieser Definition ist alles enthalten, was im Hinblick auf Beziehungen in Industrie4.0 relevant ist: Personen (Menschen) und Systeme (Assets und Assetverbünde). Um eine Industrie4.0-konforme Kooperation von Assets bzw. ihrer I4.0-Komponenten (Menschen eingeschlossen) realisieren zu können, bedarf es mindestens folgender Voraussetzungen:

1) hinreichende Erfüllung der allgemeinen Anforderungen bezüglich gesetzlicher Vorgaben, Umgebungsbedingungen und anderem
2) Datenaustausch mittels I4.0-konformer Kommunikation
3) Informationsaustausch auf Basis I4.0-konformer Dienste (Serviceorientierung)
4) Verständigung mittels einer I4.0-konformen Grammatik, deren wichtigster Teil die eindeutige Semantik darstellt
5) systemweite Eindeutigkeit von Funktionen und Merkmalen
6) Erzeugung „passender" Beziehungen zwischen I4.0-Komponenten durch Verknüpfung von Merkmalen

Die genannten Forderungen scheinen sich zunächst nicht vom klassischen Engineering zu unterscheiden; bis auf die Tatsache, dass immer I4.0-Konformität gefordert wird. Heute erledigt die Erzeugung eines Verbunds relevanter Gegenstände das klassische Engineering allerdings in einer Weise, die aus Sicht von Industrie4.0 eher als statisch bezeichnet werden muss. Dynamik im Sinn von Industrie4.0 mit seinen zueinanderfindenden Assets ist mit den heutigen Methoden des Engineering nicht bzw. nur schwer realisierbar. Die systemweite Eindeutigkeit von Informationen und die Infrastruktur zum „automatischen Zusammenfinden" von Komponenten aufgrund bestimmter anwendungsspezifischer Anforderungen stellt eine deutliche Erweiterung des heutigen Engineerings dar.

Unter der Forderung 1 sind solche Anforderungen zu verstehen, die ganz zu Beginn eines jeden Planungsprozesses dessen inhaltliche Eckpunkte beschreiben. Tabelle 5 zeigt beispielhaft einige dieser Eckpunkte, die oft in einem „Pflichtenheft“ zusammengefasst werden.

Tabelle 5: Beispiele für prinzipielle Anforderungen an eine Anlage

Aspekt	z. B. erfüllt durch	Konformitäts-Vorgaben (Beispiele)
Product Safety	Guide 104 IEC 61010-2-201	Covered by legislation IECEE/IEC EX
EMC	Guide 107 IEC 61326	Covered by legislation (e.g. EU EMC Directive) IECEE
Interoperability/ Protocols	IEC 61850 ISO 16484 ISO/IEC 14543 IEC 61158/ IEC 61784	– OPC-Foundation – BAC-Net @ ASHRAE – KONNEX @KNX Association – Fieldbus @ – HCF (HART Communication Foundation) – PNO (Profibus User Organization) – FF (Fieldbus Foundation)
Device Integration („plug & play“)	IEC 61804 IEC 62453	PNO, FF, HCF examples: EDDL, FDT, FDI
Functional Safety	IEC 61508 etc.	Covered by legislation (e.g. EU Machinery Directive)
Environmental Protection	Guide 109	IECQ HSPM (Hazardous Substances Process Management)
IT Security/ Privacy	ISA 99/ IEC 62443/ ISO 27000	IEC CB Scheme Industrial Security
Energy Efficiency	...	
...		
...		

Tabelle 6 verdeutlicht die Forderungen 2 bis 5 anhand eines Bildes aus IEC/TR 62390. Während Interconnectivity und Interworkability die Kriterien für das offene Kommunikationssystem beschreiben (roter Rahmen), sind der Interoperability bzw. der Interchangebility typische Eigenschaften auf Anwendungsebene zugeordnet (grüner Rahmen). *Kooperation* von Komponenten kann nur funktionieren, wenn Anwendungsparameter semantisch eindeutig sind (Parameter semantics), die genutzten Funktionen systemweit eindeutig definiert sind (Application functionality) und in vielen Fällen auch die Forderung nach einem bestimmten Zeitverhalten (Dynamic performance) erfüllt ist.

Zum Zeitpunkt des Erscheinens der IEC/TR 62390 im Jahr 2005 sprach man noch nicht von Kooperationsfähigkeit. Gemeint ist mit dem Begriff Interchangebility, genau diese. Denn ein 1 : 1-Gerätetausch bedeutet, dass das neue Gerät in allen wichtigen Punkten dieselben Eigenschaften wie das ausgetauschte besitzt und systemweit einfach und semantisch stoßfrei eingebunden werden kann.

Tabelle 6: Kompatibilitätsgrade gemäß IEC/TR 62390

Kooperationsfähigkeit

Needed feature	**Compatibility level**					
	Incompatible	Coexistent	Interconnectable	Interworkable	Interoperable	Interchangeable
Dynamic performance						♥
Application functionality					♥	♥
Parameter semantics					♥	♥
Data types Data Access				♥	♥	♥
Communication interface			♥	♥	♥	♥
Communication protocol		♥	♥	♥	♥	♥

Nicht erwähnt wird in der Tabelle 6 die in Industrie4.0 geforderte Serviceorientierung. Sie zerfällt nach DIN SPEC 16593 in zwei Basisdienste-Typen, wie sie Abbildung 65 mit Beispielen zeigt. Während die Infrastrukturdienste dem Kommunikationssystem zuzuschlagen sind, gehören die funktionalen Dienste zur Anwendung.

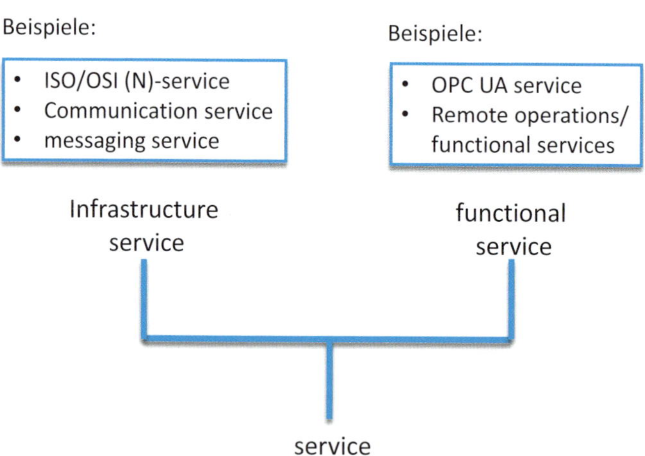

Abbildung 65: Basisdienste-Typen nach DIN SPEC 16593

10.2 Beziehungen

CP24-, CP34- oder CP44-Komponenten können erst dann miteinander kooperieren, wenn sie eine Beziehung zueinander eingegangen sind. Dies erfolgt in der realen Welt durch zusammenfügen zweier (oder mehrerer) Assets mit passenden Eigenschaften, wie dies Abbildung 66 anhand eines an ein Rohr montierten Durchflusssensors beispielhaft zeigt. Mit diesem Zusammenfügen werden gleichzeitig die jeweiligen I4.0-Komponenten zueinander in Beziehung gesetzt, sie gehen eine I4.0-konforme Beziehung ein, indem jeweils ihre zugehörigen Merkmale miteinander verbunden werden. Dies geschieht, indem die elektrische Stromversorgung der einen I4.0-Komponente mit derjenigen der anderen I4.0-Komponente verbunden wird, die Kommunikationsschnittstelle der einen I4.0-Komponente mit derjenigen der anderen I4.0-Komponente usw. Dabei kommt die Beziehung erst dann zustande, wenn die Attribute eines Merkmals an allen *Endpunkten* der Beziehungen positiv auf Übereinstimmung geprüft wurden. Dies erledigt heute gewöhnlich der Anlagenplaner. In Zukunft wird jede I4.0-Komponente hierzu in der Lage sein und bei ungenügender Übereinstimmung die Beziehung verweigern. Ist ausreichende Übereinstimmung gegeben, so werden aus den Beziehungstypen Beziehungsinstanzen. Der in der physischen Welt entstandene *Assetverbund* ist dann in der Informationswelt als *Beziehungskomplex* erzeugt, und der Weg zum Start des eigentlichen Kooperationsprozesses ist frei.

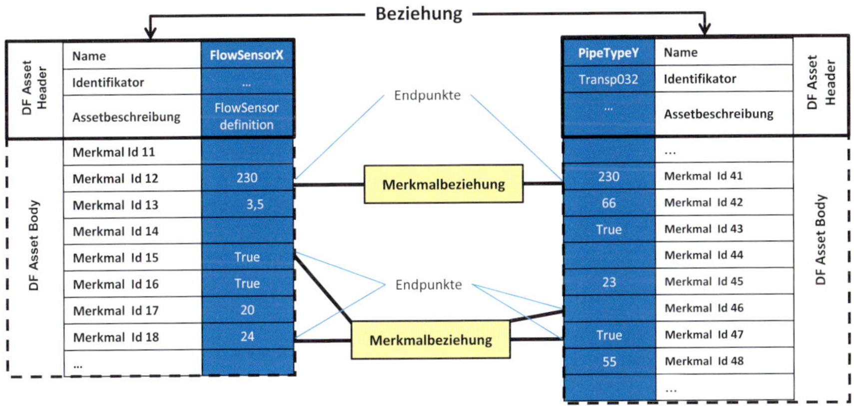

Quelle: IEC/TS 62832-1

Abbildung 66: Ein Beziehungstyp wird nach Prüfung an allen Endpunkten eines Merkmals auf genügende Übereinstimmung der relevanten Merkmals-Attribute zu einer Beziehungsinstanz

10.3 Assetverbünde

Da ein Assetverbund ein eigenständiges Asset darstellt, unterliegt er denselben Abbildungsregeln wie jedes einzelne Asset. Die Informationen von Assetverbünden der physischen Welt sind genauso strukturiert wie diejenigen der Einzel-Assets. Ein Assetverbund wird durch eine eigenständige I4.0-Komponente repräsentiert, die in der Informationswelt den Assetverbund als *Beziehungskomplex bestehend aus I4.0-Komponenten* darstellt (Abbildung 67).

In einem I4.0-System müssen alle in der physischen Welt zum Einsatz kommenden Assets mit ihrer I4.0-Komponente in der Informationswelt hinterlegt sein. Wie schon ausgeführt, dient hierzu ein Repository, das aus beliebigen Speichermedien bestehen kann, solange die Konsistenz der Informationen gewährleistet ist. Welches Asset mit welchem Asset eine Verbindung eingegangen ist oder eingehen will, ist in der Verwaltungsschale als Beziehung des jeweiligen Information Layers der jeweiligen I4.0-Komponente hinterlegt. Bestehende oder aufzubauende Beziehungen sind im Repository als Beziehungskomplex reflektiert und gespeichert. Abbildung 68 zeigt schematisch einen in einem Repository abgelegten Beziehungskomplex (rote Linien) mit den dazugehörigen Verbindungen in der physischen Welt (grüne Linien).

Mehr Informationen zu diesem Thema finden sich in [33].

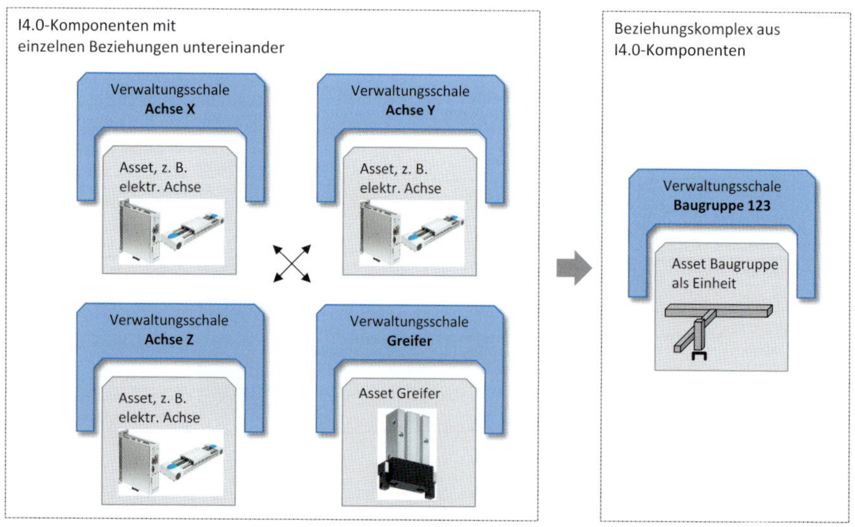

Quelle: ZVEI SG Modelle und Standards

Abbildung 67: Mehrere in Beziehung stehende I4.0-Komponenten bilden als Beziehungskomplex eine neue I4.0-Komponente mit Verwaltungsschale

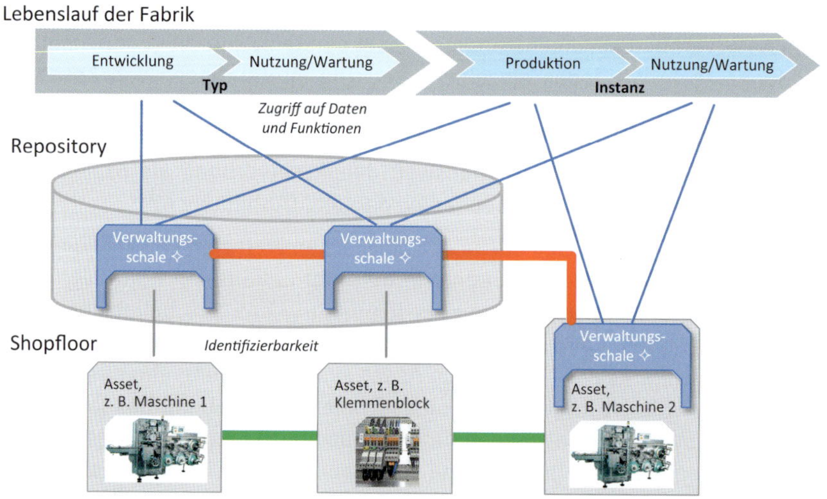

Quelle: ZVEI SG Modelle und Standards

Abbildung 68: Die Verbindungen von Assets (grüne Linien) werden als Beziehungen (rote Linie) der I4.0-Komponenten in Form eines Beziehungskomplexes in einem Repository reflektiert (modifiziert aus DIN SPEC 91345)

10.4 Beispielhafte Assetverbünde

10.4.1 Schraubverbindung

Abbildung 69 zeigt eine aus den Assets „Schraube" und „Mutter" bestehende Schraub*verbindung* der physischen Welt. Sie repräsentiert eine Reihe von Inhalten zwischen beiden Assets in der Informationswelt. Da ist zunächst der konstruktive Aspekt, der durch die mechanische Beziehung in Form von Lochdurchmesser, Schraubenmaterial oder Gewinde beschrieben wird, auf welche die Mutter mit ihren Eigenschaften passen muss. Des Weiteren ist die energetische Beziehung zu betrachten, die durch die auf die Schraubverbindung wirkenden Kräfte charakterisiert wird. Beide sind Information-Layer-Beziehungen. Die funktionale Beziehung beschreibt, dass die Schraube mit der Mutter mit anwendungsgerechtem Drehmoment verschraubt werden soll bzw. verschraubt ist, beide zusammen stellen gemeinsam die Verbindung in der physischen Welt her.

Dabei können zwei Teile unter Umständen nur dann verschraubt werden, wenn dies bestimmten Regularien entspricht bzw. gesetzeskonform möglich ist, was im Business Layer zu hinterlegen wäre.

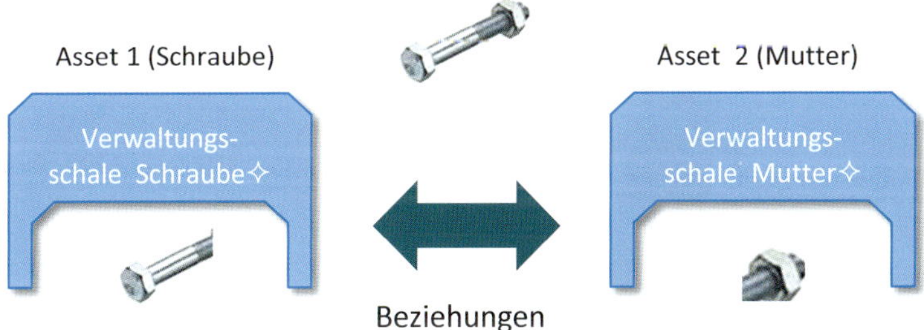

Abbildung 69: Eine Schraubverbindung wird in der Informationswelt durch Beziehungen zwischen der I4.0-Komponente „Schraube" und der I4.0-Komponente „Mutter" beschrieben

10.4.2 Maschine als Teil einer Fabrik

Analog zu diesem Beispiel lassen sich Maschinen und ganze Anlagen beschreiben, wie dies Abbildung 70 schematisch zeigt.

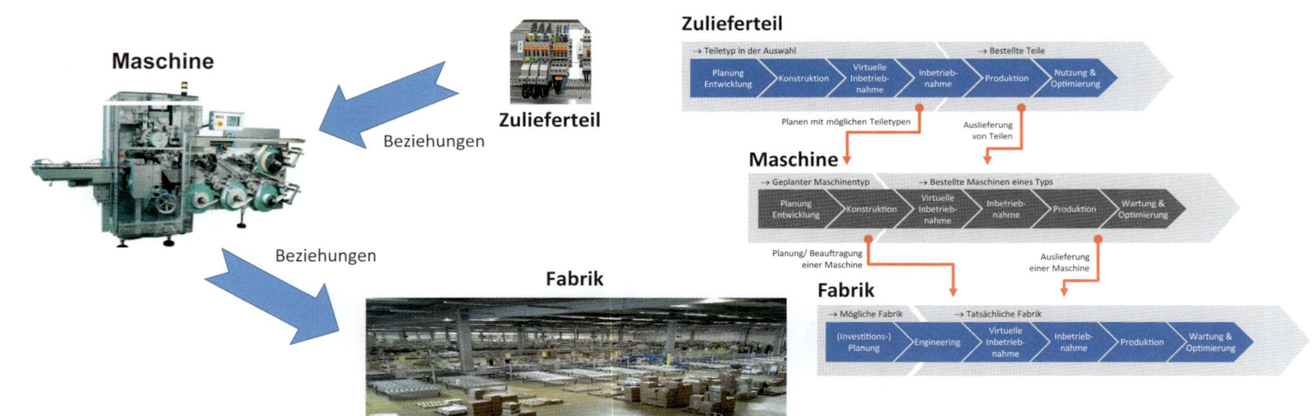

Abbildung 70: Jede Industrie4.0-Anordnung besteht aus Assets, deren I4.0-Komponenten miteinander in Beziehung stehen

10.4.3 Rohr mit Ventil

Im Folgenden sei eine etwas komplexere, Gewerke übergreifende I4.0-Anordnung betrachtet. Abbildung 71 zeigt einen auf unterschiedlichen Engineeringplänen basierenden Entwurf für ein in ein Rohrsystem eingebautes Ventil. Die beteiligten Engineering-Disziplinen sind:

- mechanische Konstruktion
- Energie/Elektrik Engineering
- Kommunikationsengineering

Für die Mechanik sind die Rohre „Pipe 1“ und „Pipe 2“ und das Ventil selbst mit seinen mechanischen Anschlüssen relevant. Die Elektrik stellt die elektrische Energieversorgung bereit. Zur Herstellung der Kooperationsfähigkeit des Ventils ist der Einbau des Ventils in das Kommunikationsnetzwerk erforderlich. Alle drei Gewerke arbeiten heute unabhängig voneinander, benutzen verschiedene Entwurfswerkzeuge mit unterschiedlichen Datenmodellen und können Konsistenz des Gesamtentwurfs nur mit großem Aufwand, oft erst auf der Baustelle selbst herstellen.

Führen alle drei Gewerke ihren Entwurf nach den Regeln von Industrie4.0 durch, verwenden sie durchgängig I4.0-Komponenten. Dabei stehen in den drei Gewerken die erforderlichen Informationen durch Auslesen der Inhalte aus den Verwaltungsschalen I4.0-konform zur Verfügung. Wegen der gleichartigen Struktur der Verwaltungsschalen ist nicht nur der Entwurf innerhalb eines Gewerks I4.0-konform und konsistent, sondern auch der Gesamtentwurf. Benötigen die verschiedenen Gewerke die gleichen Informationen, greifen sie auf dieselben Merkmale zu. Übergreifende Konsistenzprüfungen werden so relativ problemlos möglich. Als Beispiel sei der Test auf den Einbauort verschiedener Komponenten genannt, der mittels eines Vergleichs der Einbaukoordinaten aller Assets über alle Gewerke hinweg Doppelbelegungen von Einbauorten in einfacher Weise offenbart.

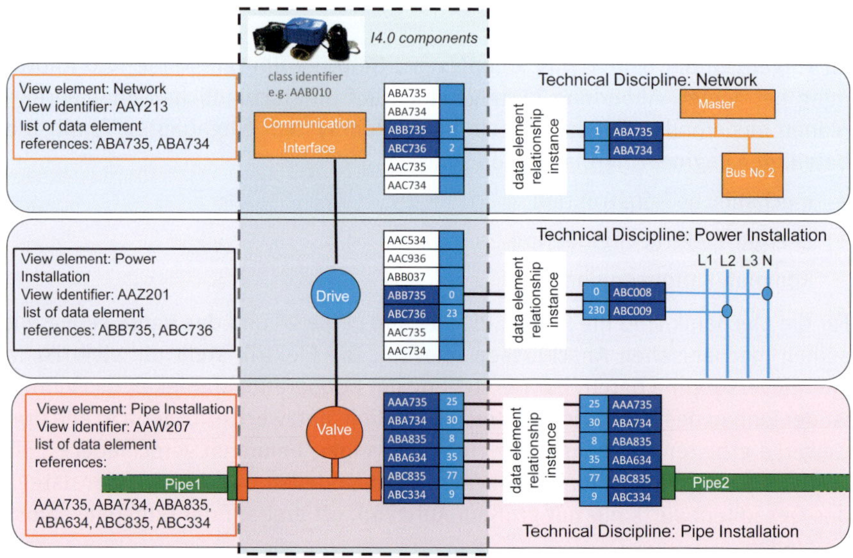

Abbildung 71: Asset-Verbund als Beziehungskomplex aus I4.0-Komponenten (nach: IEC TS 62832-1)

10.5 Aggregation und Detaillierung von Assetverbünden

Da die Eigenschaften eines Assets mit beliebiger Granularität beschrieben sein können, kann mit dem Engineering dann begonnen werden, wenn „genügend" Informationen vorhanden sind (Abbildung 72). Danach kann durch Einbeziehung von Sub-Assets beliebig detailliert oder durch Zusammenfassen aggregiert werden.[11] Das macht den Systementwurf sehr flexibel. Das gilt nicht nur für die Komponenten einer Anlage, sondern auch für die darin ablaufenden Prozesse. Da jeder beliebige Gegenstand von Wert ein Asset sein kann, ist somit jeder Prozess im Sinn von Industrie4.0 ein Asset.

Abbildung 72 zeigt die auf dem rekursiven Einsatz der Beschreibung von Assets mit RAMI4.0 basierende Methodik. Sind Assets hierarchisch angeordnet, wird beispielsweise ein Asset aus mehreren Sub-Asset gebildet (Detaillierung), so bleibt die Anordnung wegen der einheitlichen Beschreibungsmethodik in

11 Aus Gründen der Vereinfachung sind die nach RAMI4.0 strukturierten Assets in den Bildern als einfache Würfel dargestellt.

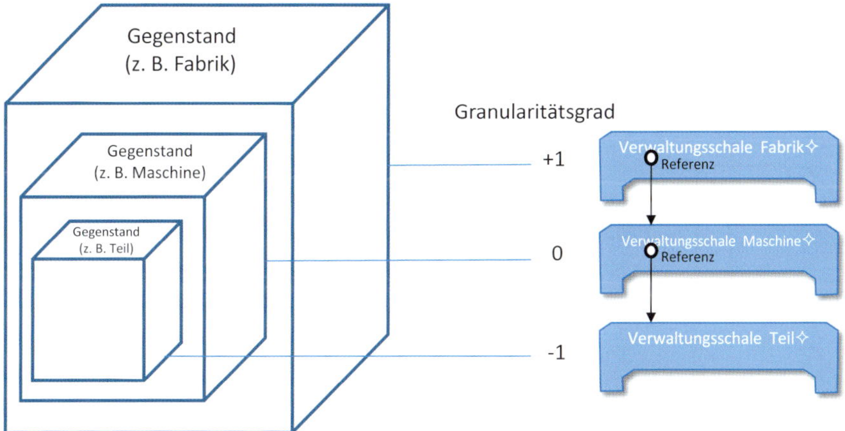

Abbildung 72: Der Systementwurf kann auf beliebigen Granularitätsstufen strukturiert nach RAMI4.0 begonnen werden

sich konsistent. Genauso können Assets zusammengefasst und durch ein übergeordnetes Asset repräsentiert werden (Aggregierung). Dabei ist die Summe der Eigenschaften zweier verbundener Assets mehr als die Summe ihrer Einzeleigenschaften.

Die unterlagerten Assets oder andere Assets, die mit einem Detaillierungsgrad miteinander verbunden sind, lassen sich auch getrennt darstellen, was Abbildung 73 anhand dreier Prozesse zeigt. Deutlich wird dies, wenn man neben der Produktionsanlage als Asset den (operationalen) Fertigungsprozess als Asset strukturiert nach RAMI4.0 beschreibt. Es zeigt, jeweils schematisch angedeutet durch den typischen (RAMI4.0-) Würfel, die Prozess-Assets „Operationaler Betrieb", darunter „Security" und „Condition Monitoring". Diese Assets besitzen wie alle Assets eine Vita, d.h. deren Zustand und Ort können prinzipiell zu jedem Zeitpunkt in der Informationswelt ermittelt werden. Das bedeutet, dass alle Assets zu einem bestimmten *Zeitpunkt* t1 simultan mit ihren *Zuständen* und *Orten* der physischen Welt erfasst werden können, was die Möglichkeit eröffnet, den Zustand des Gesamtsystems einschließlich der örtlichen Verteilung der Einzelassets und in Folge auch der I4.0-Komponenten in der Informationswelt zu korrelieren und auszuwerten. Der damit erstellte „Snapshot" erzeugt einen spezifischen View mit konsistentem zeitlichem Bezug und stellt so eine zeitliche Beziehung zwischen den I4.0-Komponenten her.

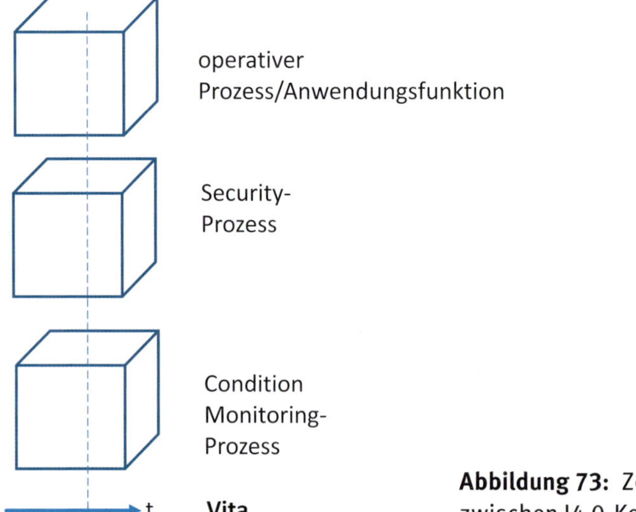

Abbildung 73: Zeitliche Korrelation zwischen I4.0-Komponenten

Die Aggregierung von Assets kann deshalb einfach erfolgen, weil alle Assets gleichstrukturiert sind. Die Aggregierung ermöglicht es in Umkehrung der Detaillierung, kleinere nach RAMI4.0 beschriebene Einheiten zu größeren zusammenzufassen. Dies gilt im Fall eines Teils einer Maschine, die wiederum Teil einer Fabrik (siehe Abbildung 72) ist, genauso wie bei Prozessen, z.B. dem operationalen Betrieb, dem Condition Monitoring, der Security oder der Funktionalen Sicherheit.

Damit sind die technischen Voraussetzungen zur Kooperation der Komponenten gegeben und wir können uns nun der eigentlichen Kooperation zuwenden.

10.6 Schematische Darstellung einer Kooperation

Abbildung 74 zeigt zur Veranschaulichung den prinzipiellen Ablauf eines Kooperationsprozesses zwischen Menschen (linke Seite) und auf der rechten Seite zwischen zwei Maschinen (Assets). In einer Phase des „Kennenlernens" wird anhand von Fragen geprüft, ob und wie man sich verständigen kann (1). Hierzu gehört die Kommunikations-Verbindung zu etablieren, die zur Verständigung erforderliche Sprache zu vereinbaren und die Fähigkeiten des Gegenübers abzufragen (2). Stimmen diese Fähigkeiten mit den eigenen Anforderungen überein, wird die Bekanntmachungsphase abgeschlossen (3), der Auftrag erteilt, ausgeführt und sein Vollzug gemeldet (4).

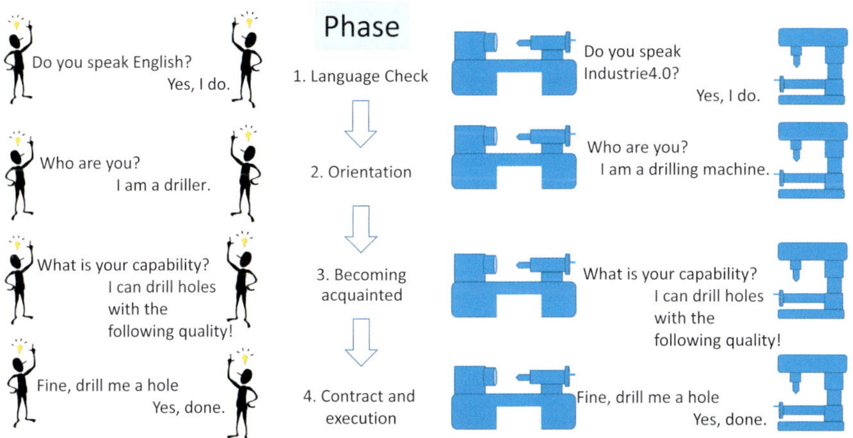

Abbildung 74: Prinzip des „Kennenlernens" mit anschließender Tätigkeit im Team beim Menschen (links) und dessen Analogon bei Assets (rechts)

Der beschriebene Frage-Antwort-Mechanismus ist so allgemein, dass er in Form von Services (Serviceorientierung) auf alle Maschinen eines Maschinen-Pools anwendbar ist, die sich temporär zu einer Fertigungslinie zur Erzeugung eines bestimmten Produkts formen können. Diese soll, je nach Auftrag, die optimale Konfiguration zur Fertigung eines bestimmten Produkts darstellen und dieses automatisiert mittels Verbindung der jeweils erforderlichen Maschinen (Production Units (PU), siehe Abschnitt 5.4) unter Leitung eines im Wesentlichen MES-Funktionen ausführenden Production Managers (PM) fertigen. Im Kern handelt es sich dabei um ein *automatisiertes* Erzeugen von Kooperations-Beziehungen (siehe Abschnitt 12.1) zwischen geeigneten I4.0-Komponenten mit anschließendem automatisiertem Ausführen von systemweit bekannten Funktionen. Als serviceorientierte Architektur bietet sich, wie schon erläutert, die offene und genormte OPC Unified Architecture (OPC UA) an. Der Informationsaustausch muss mit einer für alle I4.0-Komponenten verständlichen Kooperations-„Sprache" erfolgen.

10.7 Einheitliche Kooperationssprache (Grammatik)

Die Grammatik ist laut Duden [10] ein Teil der Sprachwissenschaft, der sich mit den sprachlichen Formen und deren Funktion im Satz, mit den Gesetzmäßigkeiten und dem Bau einer Sprache beschäftigt. Sie bezeichnet in der Sprachwissenschaft jede Form einer systematischen Sprachbeschreibung. Dabei steht der Begriff der Grammatik auf der einen Seite für das Regelwerk selbst, auf der anderen Seite wird Grammatik auch für die Theorie über eine bestimmte Sprache oder Sprachfamilie verwendet. [11]

Von besonderer Bedeutung sind Syntax und Semantik, wobei man unter Syntax allgemein ein Regelsystem zur Kombination elementarer Zeichen zu zusammengesetzten Zeichen in natürlichen oder künstlichen Zeichensystemen versteht. Die Zusammenfügungsregeln der Syntax stehen hierbei den Interpretationsregeln der Semantik, der Bedeutungslehre gegenüber [12].

Sowohl Syntax als auch Semantik sind in Industrie4.0 von elementarer Bedeutung. Für die Syntax steht z. B. um Beispiel AutomationML (IEC 62714) zur Verfügung. Die mittels der Syntax zu verknüpfenden Begriffe sind im Sinne der Semantik im Kontext von Industrie4.0 Merkmale, beispielsweise eCl@ss- oder IEC/ISO-Merkmale. Eine Herausforderung wird die umfassende Spezifikation aller relevanten Merkmale für jedes Asset sein. Fehlende Merkmale sind zu ergänzen, inkonsistente sind zu harmonisieren. Entsprechende Projekte sind auf den Weg gebracht. Ein Abkommen mit der internationalen Normungsorganisation IEC wird z. B. für eine einfache Überführung von IEC-Merkmalen in eCl@ss sorgen und umgekehrt.

Die beschriebenen Abläufe stellen aus Sicht der Fertigungsanwendung die technischen Voraussetzungen zur Abwicklung des geschäftlichen Teils dar. Schließlich stellt die erste Kontaktaufnahme des Kunden, die Aufforderung an den Hersteller ein Angebot abzugeben, dar, dem nach Prüfung der vorhandenen Ressourcen einschließlich Preisfindung beim Hersteller gegebenenfalls der Auftrag, die Ausführung des Auftrags, die Auslieferung und die Rechnungsstellung auf Anwendungsebene folgen. Dies sind alles typische Abläufe, deren Informationen im Business Layer der Fertigungsanwendung gehalten und zum Ablauf gebracht werden. Es bedeutet, dass die genannten Funktionen[12] semantisch eindeutig, also I4.0-konform zur Verfügung gestellt werden müssen. Heute sind sie hersteller- und oft sogar produktspezifisch definiert.

12 Auch diese Funktionen stellen für sich genommen wieder I4.0-Komponenten dar.

11 Connectivity

Die I4.0-konforme Kommunikation zwischen zwei und mehr I4.0-Komponenten ist in Industrie4.0 von elementarer Bedeutung. Zunächst baut die Kommunikation auf einer Serviceorientierung auf, um dann mittels nachrichtenorientierten Interaktionsmustern komplexere Verhandlungen abbilden zu können.

11.1 Serviceorientierung

Industrie4.0 nutzt eine service-orientierte Architektur. Oberhalb der reinen Kommunikationsinfrastruktur unterscheidet die I4.0-Dienste-Architektur vier Typen von Diensten:

- die Communication Services für den allgemeinen Datentransfer (connect, transmit usw.)
- die Information Services oberhalb der Communication Services zum einfachen Lesen, Schreiben, Löschen usw. von Anwendungsinformationen (read, write, create, delete etc.)
- die Platform Services[13], die über die Beschaffenheit, Funktionalität und Fähigkeiten eines Assets in Form von Selbstauskünften geben, aber auch z. B. Lokalisierungs- und Auffindungsfunktionen zur Verfügung stellen (Self-X-Funktionalität)
- Die Application Services schließlich stellen die Anwendungsfunktionen eines Assets wie „Schweißen“, „Löten“, „Bohren“, aber auch höhere Funktionalitäten wie „Loch Erzeugen“ zur Verfügung.

Während die Communication Services eine bestimmte Qualität des Kommunikationskanals bereitstellen, stellen die Information Services „Atome“ zur Realisierung der semantibehafteten höheren asset-spezifischen Funktionalität der Application Services dar. In Summe bilden alle Services die Schnittstelle für die I4.0-konforme Kommunikation. Die Platform Services weisen einen administrativen Charakter auf.

11.2 Interaktionsmodelle für I4.0-Komponenten

Die gewünschten Anwendungsszenarien in Industrie4.0 sind äußerst umfangreich und umfassen u. a. intelligente Produkte, sich selbsttätig optimierende Wertschöpfungsketten und sich selbst adaptierende Logistikprozesse [25].

13 Die hier aufgeführten „Platform Services“ sind als Basis einer Dienstarchitektur im Sinne der Informatik zu verstehen. Sie dürfen nicht mit der Plattform Industrie4.0 verwechselt werden.

Wie kann dies eine I4.0-konforme Kommunikation für diese mannigfaltigen Anwendungsfälle der Industrie4.0 leisten?

Die Antwort auf diese Fragestellung geben die sogenannten Interaktionsmodelle der Industrie4.0 [27]. Die Interaktionsmodelle versuchen die grundsätzlichen Muster in den Interaktionen zwischen Verwaltungsschalen zu finden und diese generisch zu beschreiben. Diese Interaktionsmuster werden dann in einem zweiten Schritt auf die einzelnen Fachdomänen angewendet, z.B. auf die Auftragsverhandlung zwischen verschiedenen Produktionslinien.

Die Interaktionen zwischen Verwaltungsschalen orchestrieren das Verhalten in einem I4.0-System, um entsprechende Anwendungsfälle in den Wertschöpfungsketten auszuführen. Die Interaktionsmuster bilden dabei eine Sprache der Industrie4.0, die sich Nachrichten bedient, deren Inhalte und Auswirkungen semantisch wohldefiniert sind. Abbildung 75 zeigt die Nachrichten 1–5, die zwischen den Verwaltungsschalen der beteiligten I4.0-Komponenten ausgetauscht werden.

Als Modell für die Prozessfähigkeiten einer I4.0-Komponente dient dabei die formalisierte Prozessbeschreibung nach VDI/VDE 3682, bei dem ein Prozessschritt als eine Transformation vom Eingangstupel (Eingangsinformation, Eingangsenergie, Eingangsprodukt) in ein Ausgangstupel (Ausgangsinformation, Ausgangsenergie, Ausgangsprodukt) transformiert werden kann. Dabei sind die Attribute der jeweiligen Tupel durch Merkmale der Verwaltungsschale und ihrer Teilmodelle beschrieben und somit Teil der I4.0-konformen Informationen. Die jeweiligen proprietären Verhaltensmodelle in den Verwaltungsschalen können dabei an das jeweilige Asset angepasst sein und stellen beispielsweise den Mittler zwischen einem konkreten Roboter oder einer konkreten Werkzeugmaschine und dem in der Industrie4.0 standardisierten Interaktionsmuster dar.

Ein Interaktionsmuster beschreibt eine Abfolge von ein oder mehreren Nachrichten, die zwischen den vorgesehen Schnittstellen („Communication Services" in Abschnitt 11.1) der I4.0-Komponenten ausgetauscht werden, und stellt im Sinn der Serviceorientierung einen höherwertigen Dienst dar (siehe „Platform Services" und „Application Services" in Abschnitt 11.1).

Die in [27] beschriebenen Informationsmuster umfassen u.a. die Feststellung der Identität, die Vereinbarung von Security-Maßnahmen, die Anfrage für eine Aufgabe an eine I4.0-Komponente, die Aushandlung, Beauftragung und Durchführung dieser Aufgabe oder das Melden von Störungen.

Der Schlüssel zur Beherrschung der Komplexität liegt in der Kombinationsfähigkeit von (generischen) Interaktionsmustern und den Merkmalen, die durch Teilmodelle für einzelne Fachdomänen vorgegeben werden (siehe Abschnitt 9.10).

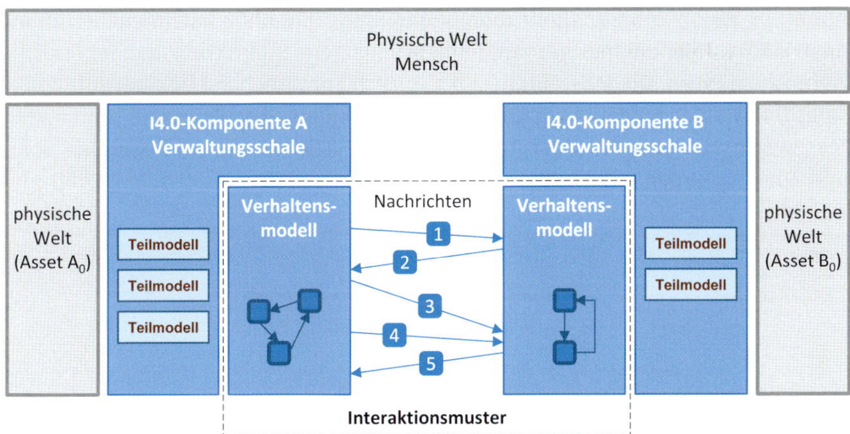

Abbildung 75: Interaktionen zwischen I4.0-Komponenten, leicht vereinfacht nach [27]

Abbildung 76 zeigt, wie ein generisches Anfragemuster mit den einzelnen Elementen, die sich als Merkmale von zwei beispielhaften Teilmodellen darstellen, erzeugt wird. Eine Antwortnachricht würde sich ebenfalls entsprechender Merkmale bedienen.

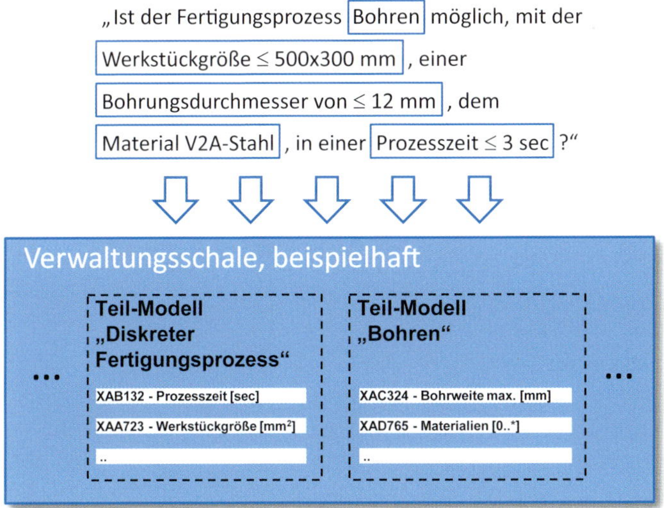

Abbildung 76: Beispiel, wie sich ein Interaktionsmuster auf die domänenspezifischen Teilmodelle in der Verwaltungsschale bezieht, nach [23]

Auf diese Weise können durch Teilmodelle mehr und mehr Fachdomänen in Industrie4.0 aufgenommen werden, ohne jeweils neue Interaktionsmuster spezifizieren zu müssen. Die Muster müssen natürlich entsprechend flexibel aufgebaut sein. Die Muster nutzen auch sogenannte Merkmalsausprägungen, um sowohl Messwerte als auch Anforderungen (die Prozesszeit muss ≤ 3 Sekunden sein) und Zusicherungen (die Werkstückgröße ist sicher $\leq 500 \times 300$ mm) bewältigen zu können.

12 Security

Jede I4.0-Komponente weist eine Mindestinfrastruktur zur Sicherstellung der (Informations-) Sicherheitsfunktionen (Security) auf. Da die Sicherheit über alles nur sichergestellt ist, wenn die jeweiligen Produktionsprozesse in die Betrachtungen einbezogen werden, stellt die Security-Infrastruktur einer I4.0-Komponente zwar eine notwendige, aber nicht hinreichende fachliche Funktionalität dar. Die Vorgaben des Prinzips von „Security-by-Design" (SbD) müssen erfüllt sein.

Nach [13] ist das Ziel von „Security-by-Design", Security-Funktionen als integrierten Teil eines Produkts bzw. einer Lösung zu realisieren. Neben einer klaren Verankerung von Security in den betroffenen Standards. Von Anfang an ergeben sich Konsequenzen für Hersteller und Betreiber von Anlagen. So sind umfassende Ergänzungen zu den bestehenden Prozessen erforderlich, die auch die Anforderungen an die Sicherheit der Identitäten und die Auswahl der Lösungsoptionen betreffen, wie sie die IEC 62443-Serie fordert. Dies schließt insbesondere Anwendungen zur funktionalen Sicherheit (Functional Safety) nach IEC 61508 und ihre Ausprägungen IEC 62061 für Maschinen und IEC 61918 für die Prozessautomatisierung ein, wobei sich funktionale Sicherheit und Informationssicherheit gegenseitig nicht negativ beeinflussen dürfen.

12.1 Identifikator und Identitäten

Wie bereits erläutert, spielt der Identifikator die entscheidende Rolle zum Auffinden einer Information, wobei dessen Eindeutigkeit eine wichtige Rolle spielt. Er ist aus technischer Sicht ein wesentliches Grundelement; aus Anwendersicht reicht dies für eine der jeweiligen Anwendung angemessene Security nicht aus. Schließlich kann ein Identifikator ohne Schutz prinzipiell jederzeit verändert werden. Daher werden dem Identifikator aus Anwendungssicht drei Qualitäten zugeteilt:

- (einfache) Identität (ID)
- eindeutige Identität (UID)
- sichere Identität (SID)

Die (einfache) Identität zeichnet sich dadurch aus, dass die Identifikation von Produkten, Herstellern oder Personen (Klassen von Entitäten) allgemein und zu jeder Zeit sichergestellt ist. Dagegen dient die eindeutige Identität der Identifikation von *individuellen* Entitäten, die *sichere* Identität der Identifikation und Authentifikation von individuellen Entitäten. Die Identifikatoren der Industrie4.0 stellen eindeutige Identitäten dar.

Nach [13] sind sichere Identitäten der Ausgangspunkt für die (gesamte) Sicherheitskette, welche die Datenerhebung, den -transport und die -verarbeitung auf Hardware-, Software- und Prozessebene absichern. Sie fungiert als Voraussetzung für viele weitere Schutzmaßnahmen. Wenn es einem Angreifer gelänge, unberechtigt eine Identität anzunehmen, laufen alle darauf aufbauenden Maßnahmen wie der Zugriffsschutz ins Leere. Hauptziel von sicheren Identitäten ist der Start der Vertrauenskette in der automatisierten Kommunikation. Sichere Identitäten unterstützen die bekannten Schutzziele (CIA):

- Vertraulichkeit (**C**onfidentiality)
- Integrität (**I**ntegrity)
- Verfügbarkeit (**A**vailablity)

Zu den bisher interagierenden Menschen, Software-Prozessen und Maschinen kommen Interaktionen mit folgenden Akteuren hinzu:

- austauschbare und daher am Anfang unbekannte Maschinenkomponenten
- digitale Abbilder (Verwaltungsschalen)

12.2 Security (-Prozess) als Asset

Das Ziel von „Security-by-Design" (SbD) ist es, Security-Funktionen als integrierten Teil eines Produkts bzw. einer Lösung zu realisieren. Neben einer klaren Verankerung von Security in den betroffenen Normen und Standards von Anfang an ergeben sich Konsequenzen für Hersteller und Betreiber von Anlagen. Da jeder beliebige Gegenstand von Wert ein Asset sein kann gilt, dass auch der Securityprozess im Sinn von Industrie4.0 ein Asset darstellt. Beschreibt man den operationalen Fertigungsprozess und den Securityprozess jeweils getrennt mit RAMI4.0, so entspricht dies den tatsächlichen planerischen Gegebenheiten, da in beiden Prozessen Experten mit unterschiedlichem Know-how arbeiten. In Abbildung 77, linker Teil, sind beide Prozesse durch eine RAMI4.0-Strukturierung repräsentiert. Dabei ist der Securityprozess bewusst als Gerippe gezeichnet, um die im rechten Teil der Abbildung 77 gezeigte Integration dieses Prozesses in den eigentlichen Fertigungsprozess zu verbildlichen. Hier muss nochmals darauf hingewiesen werden, dass man sich darüber im Klaren sein muss, welches Asset man mit den Mitteln von RAMI4.0 beschreibt: die Securityinfrastruktur mit der Möglichkeit des Login, Passwort und Verschlüsselung usw. oder den Prozess der Security mit Abläufen wie „Authentifizierung", Verschlüsseln usw.

Gelegentlich wurde die Auffassung vertreten, man habe bei RAMI4.0 die Security „vergessen". Das Gegenteil ist der Fall. Er stellt ein herausragendes Beispiel für Prozesse an sich bzw. für Supportprozesse dar, z. B. den Condition-Monitoring-Prozess oder die funktionale Sicherheit. Da die Methodik eine getrennte Beschreibung und Ineinanderüberführung von Assets und damit der Security grundsätzlich vorsieht, ist eine Sonderstellung der Security nicht erforderlich.

So ist sowohl die getrennte als auch die zusammengeführte und zeitlich korrelierte Darstellung von Prozessen möglich. Das Ergebnis ist die bekannte Darstellung der Security in RAMI4.0, die deutlich macht, dass Security in jedem Layer in jeder Hierarchieebene und zu jedem Zeitpunkt eine wichtige Rolle spielt.

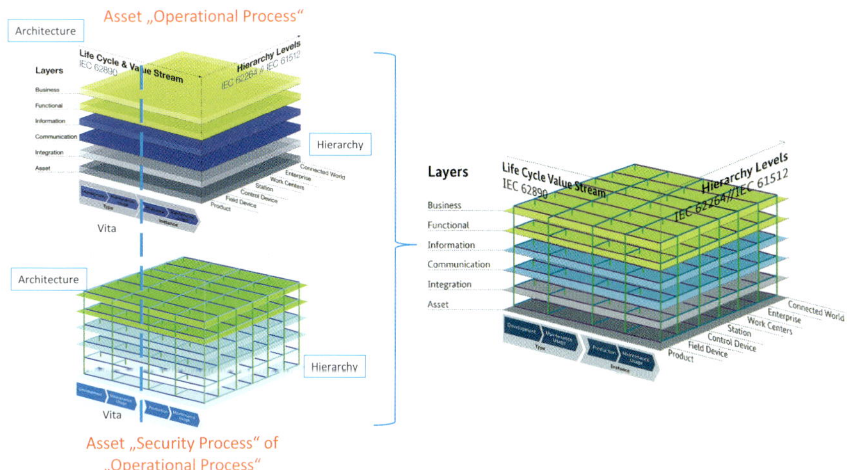

Abbildung 77: Die zwei Einzel-Assets „Prozess Operationaler Betrieb“ und „Securityprozess des operationalen Prozesses“ können einfach zusammengeführt werden

13 Normen und Normung

In den vorangestellten Kapiteln wurde ein Einblick zu RAMI4.0 gegeben und mehrfach darauf hingewiesen, dass man zur Realisierung von Industrie4.0 Normung und Normen benötigt. Nachfolgend wird ein Überblick und Ausblick zum Normungsbedarf insgesamt gegeben, wobei hier ebenfalls die Strukturen von RAMI4.0 zugrunde gelegt werden.

13.1 Normungsbedarf

Der *Business Layer* enthält die Geschäftslogik und Gebote bzw. Restriktionen jeder Art. Um die heute meist in Prosa formulierten Verträge, gesetzliche Vorgaben, Preise, Lieferbarkeit usw. den I4.0-Komponenten zugänglich zu machen, werden formale Beschreibungen für die Modelle der wichtigsten Standardprozesse benötigt. Vielversprechende Ansätze in anderen Projekten lassen erwarten, dass ein automatisiertes Vertragsmanagement in absehbarer Zeit zur Verfügung stehen wird. Allerdings dürften noch einige Schwierigkeiten zu beseitigen sein, um sich auf allgemein gültige Lösungen in Form einer Norm zu einigen. Die Plattform könnte mittels klarer Anforderungen helfen. Einen sehr wichtigen Beitrag leistet die DKE mit ihrer „DKE Roadmap Industrie4.0" [15].

Der *Functional Layer* repräsentiert die formal beschriebenen für einen bestimmten Wertschöpfungsprozess nötigen fachlichen Funktionen eines Assets. Je nach dem zu beschreibenden Prozess bzw. Produkten sind dies andere Funktionen. Für die Fertigung sind es z.B. die verschiedenen Fertigungsverfahren nach DIN 8580 zur Werkstückbearbeitung. Dieses Dokument liegt nur als Text vor, eine formale Beschreibung der Abläufe und deren Merkmale stehen aus und dürften ein weites Normungsfeld für alle beteiligten Disziplinen eröffnen. Als Zwischenschritt wäre eine Realisierung bestimmter funktionaler Abläufe mittels Beschreibung als SPS-Funktionsbausteine nach IEC 61131 oder IEC 61499 denkbar.

Die Daten des Information Layer sind für Industrie4.0 von hoher Bedeutung, da künftige Lösungen datengetrieben sein werden. Nur wenn Daten herstellerübergreifend bezüglich Semantik und Formaten standardisiert sind, können darauf aufsetzende offene Services und Funktionen in Produkten unterschiedlicher Hersteller miteinander kooperieren. Damit das jeweilige Datum eindeutig ist, muss es mit einem eindeutigen Identifikator versehen sein. Die Daten müssen einem Asset eindeutig zuordenbar sein. Daher bedarf es eines eindeutigen Identifikators für jedes Asset. Nach welchen Normen und Standards die

Informationen des Information Layer strukturiert sein werden, ist noch nicht abschließend entschieden. Bereits festgelegte Nomen für die Identifikation sind die ISO 29002-5 und URI aus der Informationstechnologie, weiterhin für die Beschreibung von Produktdaten als Merkmale die IEC 61360 bzw. ISO 13584 und infolge IEC 61987 und IEC 62683 bzw. Merkmale aus eCl@ss.

Normungsbedarf besteht einerseits im Zusammenhang mit den Funktionen des Functional Layer einschließlich zugehöriger Services, andererseits bei der Semantik der zwischen I4.0-Komponenten auszutauschenden Informationen des Information Layers.

Für den Austausch der Informationen zwischen Assets dient der *Communication Layer*. In ihm sind die Mechanismen zum Datenaustausch beschrieben. Sein Inhalt bestimmt wesentlich die Eigenschaften der zu standardisierenden I4.0-konformen Kommunikation. Dazu gehören auf der einen Seite die Mechanismen zum Datenaustausch, auf der anderen Seite aber auch Basis-Dienste, wie sie im Kapitel 10.7 zur Kooperation der I4.0-Komponenten schematisch beschrieben sind.

Da der *Asset Layer* die physische Welt repräsentiert, repräsentiert er auch deren Normen. Diese beginnen mit den gesetzlichen Vorgaben (Kalendarium, Uhrzeit usw.) bis hin zu Sicherheits- und Umweltschutzvorgaben.

13.2 Merkmalsnormung

Bereits in den Neunzigerjahren des letzten Jahrtausends gab es Bestrebungen, Produktdatenblätter in maschinenverarbeitbarer Form zu erzeugen. Aus vielerlei Gründen dauerte es bis zum Jahr 2000, solche Datenblätter zumindest für den Einkauf einheitlich zu spezifizieren, d. h. aufbauend auf einem genormten Datenmodell die dafür erforderlichen Merkmale eines Produkts zu spezifizieren. Ein Vorreiter dieser Entwicklung war der Verein eCl@ss e. V., der inzwischen mehr als 30 Sachgebieten mit mehr als 18 000 Merkmalen bedient. Abbildung 78 zeigt die Zunahme von Klassen und Merkmalen über die Jahre.

Im Jahr 2013 wurden die Ergebnisse des seinerzeit von der chemischen Industrie zur Spezifikation von Merkmalen für das *Engineering* automatisierungstechnischer Produkte gegründeten Vereins PROLIST International e. V. in eCl@ss übernommen und PROLIST International aufgelöst. Parallel wurden Merkmale für das Procurement von Niederspannungsschaltgeräten in IEC als IEC 62623 genormt und in eCl@ss übernommen, so wie eCl@ss-Merkmale in IEC eingeflossen sind.

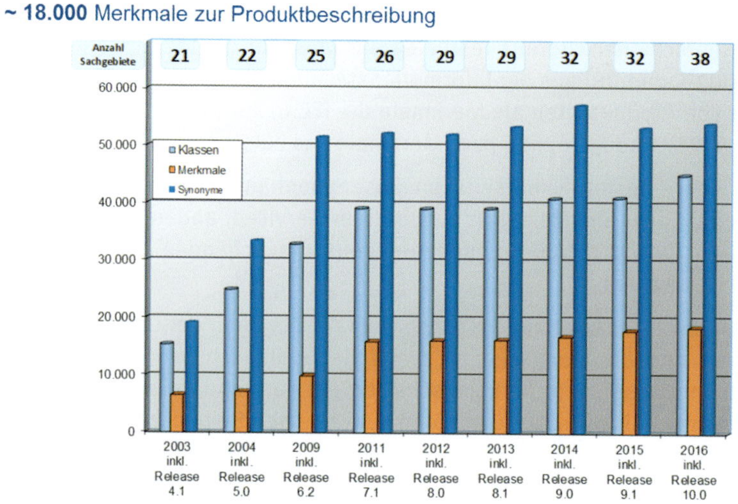

Quelle: eCl@ss

Abbildung 78: Ausgewählte eCl@ss-Sachgebiete mit Merkmalen über die Jahre

Abbildung 79 zeigt den gegenwärtigen Stand zur Normung von Merkmalen automatisierungstechnischer Produkte in IEC, wobei eine stetige Zunahme bei der Spezifikation von Merkmalen in ISO zu registrieren ist (z. B. Fluidmerkmale, Merkmale zu optischen Geräten). Das IEC CDD enthält noch weitere Merkmale, die nicht der Automatisierungstechnik zugeordnet sind.

Durch die allgemeine Verfügbarkeit der Merkmale in eCl@ss und IEC sind zwei deutliche Rationalisierungseffekte festzustellen:

- Keine Firma muss Merkmale mühsam und kostenintensiv selbst spezifizieren.
- Durch die allgemeine Verfügbarkeit und Nutzung der Normen und Standards für Merkmale ergibt sich automatisch eine Kompatibilität, die erhebliche Synergieeffekte erzeugen dürfte.

Demgegenüber lohnt sich der Erwerb der Merkmale von eCl@ss und IEC zu relativ geringen Kosten in jedem Fall.

Da oft die Frage zum Unterschied zwischen Klassifizierung und Merkmalbildung gestellt wird, sei dies anhand von eCl@ss erläutert. Nach [14] ist die Klassifizierung (von lat. *classis*, „Klasse", und *facere*, „machen") das Zusammenfassen von Objekten zu Klassen (Gruppen, Mengen). „Klassifizierung" steht für die bewusst geplante Ordnung von Wissen im Rahmen einer konkreten Betrachtung

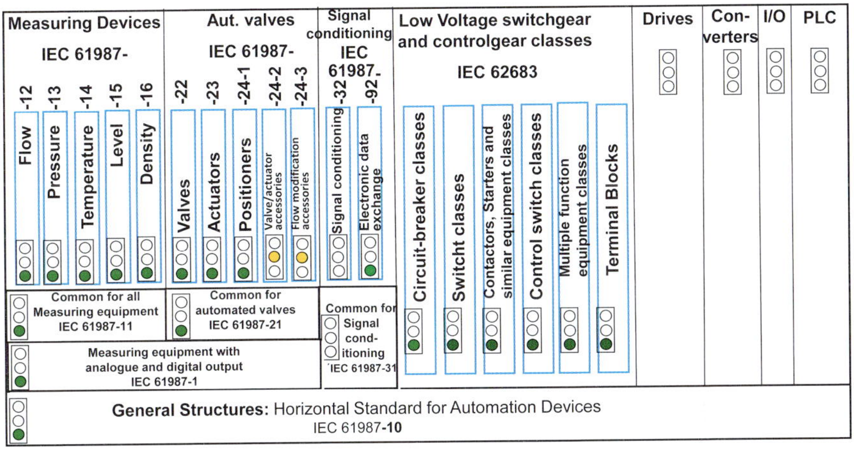

Abbildung 79: Stand der Normung in der IEC-Bibliothek „Common Data Dictionary" für Merkmale der Automatisierungstechnik (Stand 2016)

nach objektivierbaren, einheitlichen Kriterien. Eine Klassenbildung ist prinzipiell beliebig. Im Buchhandel haben sich Klassen wie „Reise", Computer", „Kochen/Backen" bewährt. Seit jeher werden Autos in „Unter-", „Mittel-" und „Oberklasse" klassifiziert. Auch in der Automatisierungstechnik ist dies üblich, indem zwischen Sensor, Aktor, speicherprogrammierbarer Steuerung usw. unterschieden wird. Diese bereits bestehenden Klassen hat eCl@ss nicht nur in der Sachgruppe 27 weitestgehend übernommen. Wie bei der Klassifizierung üblich, weisen die Produkte einer Klasse jeweils eine Reihe bestimmter übereinstimmender Merkmale auf. Weichen einzelne Merkmale eines Produkts gegenüber den anderen Produkten ab, steht man vor der Frage, eine neue Klasse zu erzeugen oder diese Merkmale explizit außerhalb der eigentlichen Klasse (z.B. mittels zusätzlicher Merkmallisten) zu spezifizieren. Der Weg, neue Klassen zu erzeugen, ist problematisch, weil schnell sehr viele Klassen entstehen. eCl@ss hat sich daher für eine vier-stufige Klassifizierung und anhängende Merkmallisten entschieden (Abbildung 80).

In Sachgruppe 27 enthalten die Merkmallisten „Basic" die Mindestmerkmale insbesondere zum Procurement, die Merkmallisten „Advanced" enthalten insbesondere viele Merkmale für das Engineering. Dabei sind alle Merkmale nach den Regeln der IEC 61360 spezifiziert. Das Dokument IEC/TS 62832-1 „Digital factory framework – Part 1: General principles" enthält die Beschreibung einer virtuellen Komponente mithilfe von Merkmalen. Die I4.0-Komponente basiert auf wesentlichen Leitgedanken dieses Dokuments.

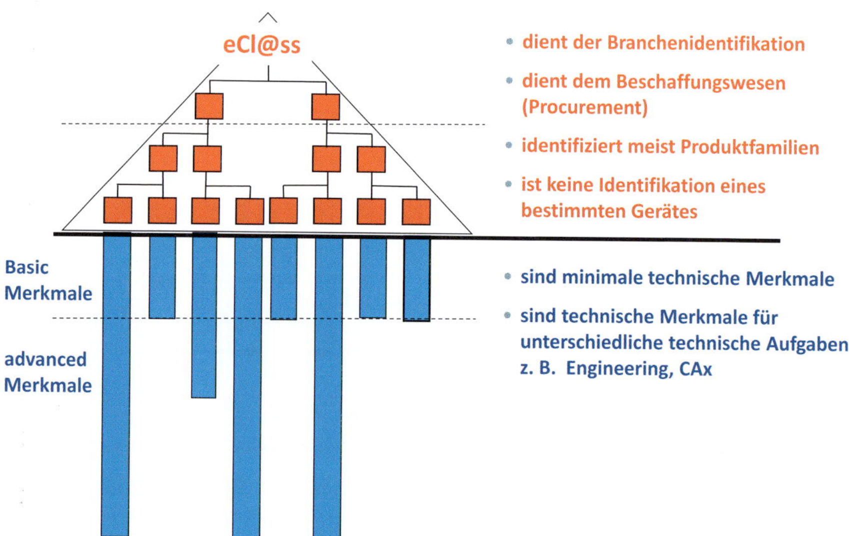

Abbildung 80: Das eCl@ss-Klassifizierungs- und Merkmalsschema

Es werden allerdings nicht alle Merkmale international genormt werden. Vielmehr werden internationale Normen höchstwahrscheinlich das Minimum an festgelegten Merkmalen für bestimmte Kernaufgaben repräsentieren (siehe Kapitel 11.1, „Harte“ Standards und Normen). Konsortien werden einen größeren Teil an Merkmalspezifikationen beisteuern („weiche und konsensuale Standards“). Nach wie vor ist es nicht verboten, mittels bi- bzw. multilateraler Absprachen eigene Merkmale zu verwenden, natürlich mit dem Nachteil, dass deren Bekanntheitsgrad begrenzt ist und damit mehr oder weniger als „privat“ zu gelten hat („freie“ Festlegungen, Firmenstandards).

Teile der Methodik von Industrie4.0 gehören zweifellos in die Kategorie „Harte Standards und Normen“. Sie bedürfen besonders sorgfältiger internationaler Abstimmung. Sie sind als Beitrag der Plattform Industrie4.0 zu einer international akzeptierten Methodik für das künftige Smart Manufacturing zu betrachten. Der Anfang hierzu ist mit der Public Available Specification IEC PAS 63088 seit Ende des Jahres 2016 gemacht. Dieses Dokument enthält das Referenz-Architektur-Modell Industrie4.0 (RAMI4.0) als englische Übersetzung der DIN SPEC 91345.

14 Kriterien für Industrie4.0-Produkte

14.1 Allgemeines

Industrie4.0 ist ein oft gebrauchter Begriff. Viele technische Neuerungen bei Herstellern und Anwendern werden mit Industrie4.0 beworben. Dabei werden immer häufiger Begriffe wie „IoT ready", „RAMI proved" oder „Industrie4.0 Siegel" verwendet.

Was inhaltlich hinter diesen Begriffen steht, ist von Hersteller zu Hersteller verschieden und für Anwender undurchsichtig. Daher wurde im ZVEI eine Arbeitsgruppe eingesetzt, um herstellerübergreifend Kriterien und Eigenschaften festzulegen, mit denen ein Industrie4.0-Produkt bewertet werden kann. Der fertige Leitfaden wurde von der Plattform Industrie4.0 frei gegeben.

Eine solche Festlegung hilft sowohl den Herstellern als auch den Anwendern. Die Anwender können auf zugesicherte Eigenschaften zurückgreifen. Für Hersteller wird es einfacher, Produkte nach Industrie4.0 zu kennzeichnen und künftige Entwicklungen entsprechend auszurichten.

Die Kriterien für Industrie4.0-Produkte wurden an den Konzepten des Referenzarchitekturmodells Industrie4.0 (RAMI4.0) und der Industrie4.0-Komponente ausgerichtet, siehe Abbildung 81. Leitlinie war dabei festzulegen, welche Eigenschaften ein Produkt aufweisen muss, um die festgelegten Kriterien zu erfüllen. Dabei ist immer das absolute Minimum festgelegt.

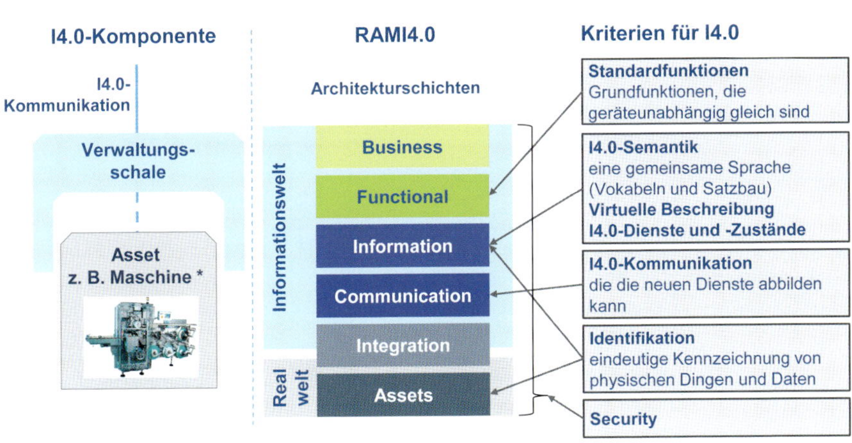

Quelle: Leitfaden ZVEI

Abbildung 81: Kriterien für Industrie4.0-Produkte

Für die Rahmenbedingungen gilt:

- Jeder Anbieter prüft die Eigenschaften selbst.
- Es wird keine Zertifizierung zu der Selbstprüfung geben.
- Die Kriterien und Eigenschaften sind so einfach gehalten, dass jeder Anbieter sie selbst anwenden kann.
- Es gibt kein allgemeines Label, jeder Anbieter kann sein eigenes Label verwenden.
- Die Kriterien und Eigenschaften sind kostenfrei für jedermann.

Tabelle 7 zeigt die „Produkteigenschaften 2017", die ein Produkt mindestens haben muss, damit es 2017 als Industrie4.0-konform gekennzeichnet werden kann. Der ausführliche Leitfaden des ZVEI zu diesem Thema ist unter [29] verfügbar.

Tabelle 7: Kriterien und Produkteigenschaften 2017

Quelle: [29]

	Kriterium	Anforderungen	L	E	Produkteigenschaften 2017
1.	Identifikation	Herstellerübergreifende Identifizierung mit eindeutigem Identifier (ID) auf dem Produkt angebracht, elektronisch lesbar. Identifizierung in: 1) Entwicklung 2) Warenverkehr (Logistik), Produktion 3) Vertrieb, Service, Marketing 4) Netzwerk	T	M	für 1) Materialnummer[1] (elektronisch) nach ISO 29002-5[2] oder URI
			I	M	für 2) Seriennummer oder eindeutige ID für 3) Hersteller + Seriennummer oder eindeutige ID mit 2) und 3) elektronisch lesbar, physische Produkte über 2-D-Code oder RFID für 4) Identifikation Teilnehmer über IP Netzwerk
2.	I4.0-Kommunikation	Übertragung von Daten und Datenfiles des Produkts für z. B. die Auslegung oder Simulation, Daten zum Produkt in standardisierter Form.	T	M	Hersteller macht Kundenrelevante Daten mithilfe der Identifikation online digital verfügbar/abrufbar, z. B. PDT über http(s)
		Produkt über Netzwerk ansprechbar, liefert und übernimmt Daten, Plug & Produce über I4.0-konforme Dienste.	I	M	Produkt online ansprechbar über TCP/UDP und IP mit mindestens dem Informationsmodell von OPC-UA

	Kriterium	Anforderungen	L	E	Produkteigenschaften 2017
3.	I4.0-Semantik	standardisierte Daten mit herstellerübergreifender eindeutiger Identifizierung in Form von Merkmalen mit Syntax für z. B.: 1) kaufmännische Daten 2) Katalogdaten 3) technische Daten: Mechanik, Elektrik, Funktionalität, Örtlichkeit, Leistungsfähigkeit 4) dynamische Daten 5) Daten über den Lebenslauf der Produktinstanz	T	M	Katalogdaten online abrufbar
			I	M	Katalogdaten und Daten über den Lebenslauf der Produktinstanz online abrufbar
4.	virtuelle Beschreibung	virtuelles Abbild in I4.0-konformer Semantik virtuelles Abbild über den gesamten Lebenszyklus; Charakteristische Merkmale der realen Komponente, Informationen über Beziehungen der Merkmale untereinander, produktions- und produktionsprozess-relevante Beziehungen zwischen Industrie4.0-Komponenten, Formale Beschreibung relevanter Funktionen der realen Komponente und seiner Abläufe.	T	M	kundenrelevante Informationen anhand der Typen-Identifikation digital abrufbar (Produktbeschreibung, Katalog, Bild, technische Features, Datenblatt, Security Eigenschaften, etc.)
			I	M	digitaler Kontakt zum Service und Informationen zum Produktsupport inkl. Ersatzteilinformation aus dem Feld möglich
5.	I4.0-Dienste und Zustände	Definition noch offen (Dienstsystem)	T	O	Beschreibung der Geräteschnittstelle digital verfügbar
		allgemeine Schnittstelle für nachladbare Dienste und Meldung von Zuständen; notwendige Basisdienste, die ein I4.0-Produkt unterstützen und bereitstellen muss	I	O	Informationen wie Zustände, Fehlermeldungen, Warnungen, etc. nach einer Industrienorm über OPC-UA Informationsmodell verfügbar
6.	Standardfunktionen	grundlegende standardisierte Funktionen, die herstellerunabhängig auf verschiedenen Produkten lauffähig sind und gleiche Daten in gleichen Funktionen liefern. Sie dienen als Grundstock der Funktionalität, auf die jeder Hersteller seine eigenen Erweiterungen aufbauen kann.	T	N	nicht definiert
			I	N	nicht definiert

	Kriterium	Anforderungen	L	E	Produkteigenschaften 2017
7.	Security	Mindestbedingungen zur Sicherstellung der Security-Funktionalität	T	M	Eine Bedrohungsanalyse wurde durchgeführt. Angemessene Security-Fähigkeiten wurden berücksichtigt und öffentlich dokumentiert.
			I	M	Vorhandene Security Fähigkeiten sind dokumentiert. Entsprechend sichere Identitäten sind vorhanden.
Erläuterungen: Spalte: L = Lebenszyklus mit T = Typ und I = Instanz Spalte: E = Erfassungsgrad mit M: Mandatory, O: Optional, Use Case abhängig evtl. doch Mandatory und N: nicht relevant					

[1] Materialnummer hier als Überbegriff für Typenbezeichnung, Hersteller-Teilenummer, Bestellnummer, Produktklassifikation etc.

[2] Für die oben angesprochenen direktverbundenen Assets dürfte im Regelfall eine herstellerspezifische Identifikation nötig sein. Dies leistet Stand heute die ISO 29002-5 nicht.

14.2 Ausblick

Abbildung 82 zeigt die Unterteilung des Kriterienkatalogs in heute, mittelfristig und langfristig. Viele Teilgebiete von Industrie4.0 sind heute noch nicht definiert. Bereits vorhandene Festlegungen sind in den aktuellen Kriterienkatalog als „heute“ gekennzeichnet eingeflossen.

Standards und Normen, die diskutiert werden, sind im Kriterienkatalog als mittelfristig gekennzeichnet. Zielgruppe sind die Entwicklungsabteilungen von Herstellern, damit diese sich frühzeitig mit den Eigenschaften für ihre Produkte befassen können.

Zeitlich noch etwas ferner liegende Technologien bzw. Themen, bei denen noch Forschungs- und Definitionsbedarf besteht, wurden als längerfristig gekennzeichnet in den Katalog aufgenommen. Zielgruppe sind die Institute und Forschungseinrichtungen, z. B. von Hochschulen.

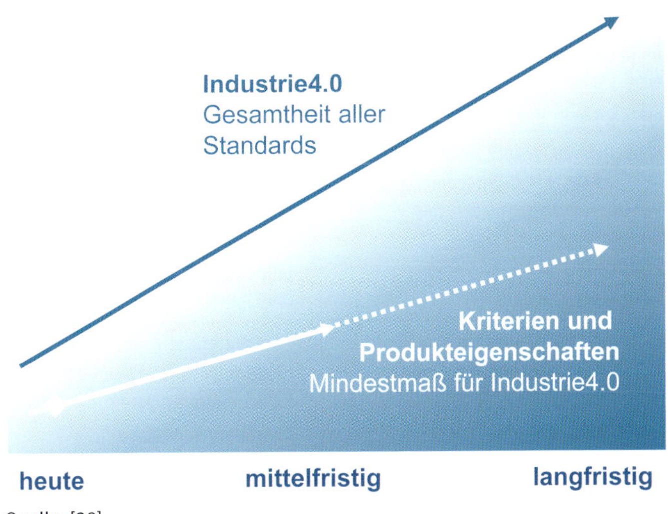

Quelle: [29]

Abbildung 82: Kriterien für Produkteigenschaften im zeitlichen Verlauf

Eine Überprüfung der Kriterien und Eigenschaften ist jährlich vorgesehen. So können die Kriterien und Eigenschaften bei Bedarf immer an den aktuellen Entwicklungsstand angepasst werden. Eigenschaften aus dem mittelfristigen oder auch langfristigen Bereich können somit nach und nach in die Mindestanforderungen für I4.0-Produkte überführt werden. Tabelle 7 zeigt einen Ausblick auf mittelfristig zu erwartende Produktkriterien nach Industrie4.0.

Tabelle 8: Ausblick zu Kriterien und Produkteigenschaften

Quelle: [29]

	Kriterium	L	E	Mittelfristig ≤ 5 Jahre	E	Langfristig ≤ 10 Jahre
1.	Identifikation	T	M	wie 2017	M	wie 2017
		I	M	wie 2017, aber auch weitere kabellose Identifikation (z. B. NFC) möglich detailliertere Identifikationsdaten und Dereferenzierung von weiteren Identifikatoren (z. B. GS1) möglich	M	wie mittelfristig, aber auch Indoor- und Outdoor-Lokalisierung und weitere möglich

	Kriterium	L	E	Mittelfristig ≤ 5 Jahre	E	Langfristig ≤ 10 Jahre
2.	I4.0-Kommunikation	T	M	wie 2017, aber Verwaltungsschalen und ihre Daten sind digital kommunizierbar.	M	wie mittelfristig
		I	M	wie 2017, aber zusätzlich Basisdienste I4.0-implementiert	O	wie mittelfristig, aber Kommunikation kann erweiterte Kommunikationsstandards (z. B. OPC-UA, DDS, MQTT, TSN, 5G, Bluetooth etc.) nutzen; flexible Netztopologien
3.	I4.0-Semantik	T	M	wie 2017, aber mit I4.0-konformer Selbstbeschreibung 1–3) ecl@ss/IEC CDD/ W3C-konforme Daten	M	wie mittelfristig 1–3) ecl@ss/IEC CDD/ W3C-konforme Daten + weitere Kandidaten + Daten in öffentlichen Katalogen
		I	M	wie 2017 3–5) ecl@ss/IEC CDD/ W3C-konforme Daten	M	3–5) ecl@ss/IEC CDD/ W3C-konforme Daten + weitere Kandidaten + Daten in öffentlichen Datenbanken
4.	virtuelle Beschreibung	T	M	wie 2017, aber weitere kundenrelevante Daten sind in I4.0-konformen Formaten verfügbar. Daten über Produkttypen auch in öffentliche oder private Clouds übertragbar (Verwaltungsschale über einen Typ)	M	Alle Daten und Beschreibungen digital in einer I4.0-Semantik für den herstellerübergreifenden Austausch verfügbar.
		I	M	Abbild aller Produktions- und Serviceunterlagen sowie Daten vorhanden und intern transparent verfügbar	M	alle Daten und Beschreibungen digital verfügbar in einer I4.0-Semantik für den herstellerübergreifenden Austausch
5.	I4.0-Dienste und Zustände	T	M	wie 2017, aber zusätzlich erste Dienste online ladbar	M	alle im Entwicklungsprozess benötigten I4.0-Dienste wie Simulationsmodelle online verfügbar
		I	M	wie 2017, aber zusätzlich Basisdienste I4.0-implementiert (z. B. Selbstbeschreibung)	M	wie mittelfristig, aber zusätzlich alle I4.0-Dienste für Plug&Produce

	Kriterium	L	E	Mittelfristig ≤ 5 Jahre	E	Langfristig ≤ 10 Jahre
6.	Standard-funktionen	T	O	z. B. Simulationsmodell lieferbar	M	Alle definierten Entwicklungs-funktionen lieferbar.
		I	O	z. B. PLCopen für Motion, IEC 61131-3 Grundfunktionen, Condition Monitoring Standard-funktionen nach VDMA 24582 ...	M	alle definierten Standardfunk-tionen lieferbar und lauffähig
7.	Security	T	M	Security-by-Design Security-Fähigkeiten sind im jeweiligen Niveau beschrieben (Authentifizierung der Identifika-toren, Benutzer- und Rollenver-waltung, sichere Kommunikation, Logging der security-rel. Ände-rungen).	M	Security-by-Design zusätzlich (Level der Vertrauens-würdigkeit), Fähigkeiten des vorgesehenen Niveaus der Vertrauenswürdig-keit sind beschrieben
		I	M	Security-Fähigkeiten sind digital auf dem vorgesehenen Niveau abfragbar, (Authentifizierung der Identifikatoren, Benutzer- und Rollenverwaltung, sichere Kom-munikation, Logging der security-rel. Änderungen)	M	zusätzlich digital abfragbar (Level der Vertrauenswürdigkeit), Fähigkeiten des vorgesehenen Niveaus der Vertrauenswürdig-keit sind umgesetzt

Literaturverzeichnis

[1] Umsetzungsempfehlungen für das Zukunftsprojekt Industrie4.0; acatech; April 2013; Geschäftsstelle der Plattform Industrie4.0.

[2] Manfred Broy, Bernhard Rampe: Informatik-Spektrum; Band 30, Heft 1; Februar 2007; S. 3–18.

[3] Allgemeine Modelltheorie; Wien Springer (1973).

[4] Internet, https://de.wikipedia.org/wiki/Referenzarchitektur [Zugriff am 13. April 2017].

[5] Industrial Internet Consortium (IIC) (2016): The Industrial Internet Reference Architecture; Technical Paper; Retrieved in April 2016 from http://www.iiconsortium.org/IIRA.htm [Zugriff am 10. Mai 2017].

[6] Industrie4.0-Ergebnispapier „Fortschreibung der Anwendungsszenarien“, Szenario „Wandlungsfähige Fabrik“, S. 11–13, Plattform Industrie4.0; Oktober 2016.

[7] Erich Heintel, Arno Anzenbacher; Gegenstand, I, in: Historisches Wörterbuch der Philosophie; Band 3; 1974; S. 129.

[8] RFC 3986: „Uniform Resource Identifier (URI): Generic Syntax“; Internet Engineering Task Force (IETF); Januar 2005; https://tools.ietf.org/html/rfc3986 [Zugriff am 5. März 2017].

[9] Internet, https://de.wikipedia.org/wiki/Kooperation [Zugriff am 13. April 2017].

[10] Duden 2016, http://www.duden.de/suchen/dudenonline/Grammatik [Zugriff am 13. April 2017].

[11] Internet, https://de.wikipedia.org/wiki/Grammatik [Zugriff am 13. April 2017].

[12] Internet, https://de.wikipedia.org/wiki/Syntax [Zugriff am 13. April 2017].

[13] Technischer Überblick „Sichere Identitäten“; Berlin; Plattform Industrie4.0; 2016.

[14] Internet, https://de.wikipedia.org/wiki/Klassifizierung [Zugriff am 13. April 2017].

[15] DKE Deutsche Kommission Elektrotechnik, Elektronik Informationstechnik im DIN und VDE: Die Deutsche Normungs-Roadmap Industrie4.0; Version 2.0; 2015.

[16] eCl@ss, http://www.eclass.eu [Zugriff am 13. April 2017].

[17] Statusreport „Wertschöpfungsketten“; VDI GMA 7.21, April 2014.

[18] Internet, https://de.wikipedia.org/wiki/OSI-Modell#Motivation [Zugriff am 23. Februar 2017].

[19] Umsetzungsstrategie Industrie4.0; Ergebnisbericht der Plattform Industrie4.0; BITKOM e. V., VDMA e. V., ZVEI e. V.; April 2015.

[20] Ergebnispapier „Struktur der Verwaltungsschale, Fortentwicklung des Referenzmodells für die Industrie4.0-Komponente"; Plattform Industrie4.0; April 2016.

[21] Diskussionspapier „Interaktionsmodell für Industrie4.0-Komponenten"; Plattform Industrie4.0; November 2016.

[22] VDI-Statusreport Industrie4.0 Begriffe/Terms; April 2017.

[23] Whitepaper „Beispiele zur Verwaltungsschale der Industrie4.0-Komponente – Basisteil"; ZVEI e. V.; November 2016.

[24] L. Halilaj, I. Grangel-González, G. Coskun and S. Auer: „Git4Voc: Git-Based Versioning for Collaborative Vocabulary Development", 2016 IEEE Tenth International Conference on Semantic Computing (ICSC), Laguna Hills, CA, 2016, pp. 285-292. Doi: 10.1109/ICSC.2016.44.

[25] Ergebnispapier „Fortschreibung der Anwendungsszenarien der Plattform Industrie4.0"; Plattform Industrie4.0; Oktober 2016.

[26] Ergebnispapier „Technischer Überblick: Sichere Identitäten", Plattform Industrie4.0, 2016.

[27] Diskussionspapier „Weiterentwicklung des Interaktionsmodells für Industrie4.0-Komponenten"; Plattform Industrie4.0; November 2016.

[28] Begriffsdefinitionen rund um Industrie4.0; Webseite; Fraunhofer IOSB und VDI GMA Fachausschuss 7.21; http://i40.iosb.fraunhofer.de/FA7.21%20Begriffe [Zugriff am 12. Februar 2017].

[29] Leitfaden „Welche Kriterien müssen Industrie-4.0-Produkte erfüllen?"; ZVEI e. V.; November 2016; http://www.zvei.org/Verband/Publikationen/Seiten/Welche-Kriterien-muessen-Industrie-4.0-Produkte-erfuellen.aspx [Zugriff am 13. April 2017].

[30] Udo Döbrich, Roland Heidel; „Datengetriebene Programmsysteme"; Informatik Spektrum, Band 35, Heft 3, S. 190–203; Springer-Verlag 2012.

[31] CEN-CENELEC-ETSI Smart Grid Coordination Group; Smart Grid Reference Architecture; November 2012.

[32] Discussion paper Network-based Communication for Industrie4.0 – Proposal for an Administration Shell, Industrie4.0 (November 2016)

[33] Beziehungen zwischen I4.0-Komponenten – Verbundkomponenten und intelligente Produktion; ZVEI SG Modelle und Standards, voraussichtliches Erscheinungsdatum Ende 2017

Normenverzeichnis

Reihe DIN 85xx

DIN 8580:2003-09, Fertigungsverfahren – Begriffe, Einteilung

DIN 8588:2013-08, Fertigungsverfahren Zerteilen – Einordnung, Unterteilung, Begriffe

DIN 8590:2003-09, Fertigungsverfahren Abtragen – Einordnung, Unterteilung, Begriffe

DIN 8591:2003-09, Fertigungsverfahren Zerlegen – Einordnung, Unterteilung, Begriffe

DIN 8592:2003-09, Fertigungsverfahren Reinigen – Einordnung, Unterteilung, Begriffe

DIN SPEC 16592:2016-03, Universelle Schnittstellen für die Automatisierung – OPC UA und AutomationML; Universal interfaces for automation – OPC UA and AutomationML

DIN SPEC 16593:2017-04, RM-SA – Referenzmodell für Industrie4.0 Servicearchitekturen – Grundkonzepte einer interaktionsbasierten Architektur; RM-SA – Reference Model for Industrie4.0 Service architectures – Basic Concepts of an Interaction-based Architecture

DIN SPEC 91345:2016-04, Referenzarchitekturmodell Industrie4.0 (RAMI4.0); Reference Architecture Model Industrie4.0; (RAMI4.0); Modèle de référence de l'architecture de l'Industrie4.0 (RAMI4.0)

IEC CDD, IEC Common Data Dictionary (IEC 61360), Standard data element types with associated classification scheme for electric components

IEC 61010-2-201:2013-02, Safety requirements for electrical equipment for measurement, control and laboratory use – Part 2-201: Particular requirements for control equipment

Reihe IEC 61131

IEC 61131-1:2003-05, Programmable controllers – Part 1: General information

IEC 61131-2:2007-07, Programmable controllers – Part 2: Equipment requirements and tests

IEC 61131-3:2013-02, Programmable controllers – Part 3: Programming languages

IEC/TR 61131-4:2004-07, Programmable controllers – Part 4: User guidelines

IEC 61131-5:2000-11, Programmable controllers – Part 5: Communications

IEC 61131-6:2012-10, Programmable controllers – Part 6: Functional safety

IEC 61131-7:2000-08, Programmable controllers – Part 7: Fuzzy control programming

IEC/TR 61131-8:2003-09, Programmable controllers – Part 8: Guidelines for the application and implementation of programming languages

IEC 61131-9:2013-09, Programmable controllers – Part 9: Single-drop digital communication interface for small sensors and actuators (SDCI)

Reihe IEC 61360

IEC 61360-1:2009-07, Standard data elements types with associated classification scheme for electric items – Part 1: Definitions – Principles and methods

IEC 61360-2:2012-10, Standard data element types with associated classification scheme for electric components – Part 2: EXPRESS dictionary schema

Reihe IEC 61499

IEC 61499-1:2012-11, Function blocks – Part 1: Architecture

IEC 61499-2:2012-11, Function blocks – Part 2: Software tool requirements

IEC 61499-4:2013-01, Function blocks – Part 4: Rules for compliance profiles

Reihe IEC 61508

IEC/TR 61508-0:2005-01, Functional safety of electrical/electronic/programmable electronic safety-related systems – Part 0: Functional safety and IEC 61508

IEC 61508-1:2010-04, Functional safety of electrical/electronic/programmable electronic safety-related systems – Part 1: General requirements

IEC 61508-2:2010-04, Functional safety of electrical/electronic/programmable electronic safety-related systems – Part 2: Requirements for electrical/electronic/programmable electronic safety-related systems

IEC 61508-3:2010-04, Functional safety of electrical/electronic/programmable electronic safety-related systems – Part 3: Software requirements

IEC/TS 61508-3-1:2016-07, Part 3-1: Software requirements – Reuse of pre-existing software elements to implement all or part of a safety function

IEC 61508-4:2010-04, Functional safety of electrical/electronic/programmable electronic safety-related systems – Part 4: Definitions and abbreviations

IEC 61508-5:2010-04, Functional safety of electrical/electronic/programmable electronic safety-related systems – Part 5: Examples of methods for the determination of safety integrity levels

IEC 61508-6:2010-04, Functional safety of electrical/electronic/programmable electronic safety-related systems – Part 6: Guidelines on the application of IEC 61508-2 and IEC 61508-3

IEC 61508-7:2010-04, Functional safety of electrical/electronic/programmable electronic safety-related systems – Part 7: Overview of techniques and measures

Reihe IEC 61511

IEC 61511-1:2016-02, Functional safety – Safety instrumented systems for the process industry sector – Part 1: Framework, definitions, system, hardware and application programming requirements

IEC 61511-2:2016-07, Functional safety – Safety instrumented systems for the process industry sector – Part 2: Guidelines for the application of IEC 61511-1:2016

IEC 61511-3:2016-07, Functional safety – Safety instrumented systems for the process industry sector – Part 3: Guidance for the determination of the required safety integrity levels

Reihe IEC 61512/ISA 88

IEC 61512-1:1997-08, Batch control – Part 1: Models and terminology

IEC 61512-2:2001-11, Batch control – Part 2: Data structures and guidelines for languages

IEC 61512-3:2008-07, Batch control – Part 3: General and site recipe models and representation

IEC 61512-4:2009-10, Batch control – Part 3: General and site recipe models and representation

ANSI/ISA-88.00.01-2010 – Batch Control Part 1: Models and Terminology

ISA-88.00.02-2001 – Batch Control Part 2: Data Structures and Guidelines for Languages

ISA-88.00.03-2003 – Batch Control Part 3: General and Site Recipe Models and Representation

ISA-88.00.04-2006 – Batch Control Part 4: Batch Production Records

ISA-TR88.95.01-2008 – Using ISA-88 and ISA-95 Together

Reihe IEC 61987

IEC 61987-1:2006-12, Industrial-process measurement and control – Data structures and elements in process equipment catalogues – Part 1: Measuring equipment with analogue and digital output

IEC 61987-10:2009-07, Industrial-process measurement and control – Data structures and elements in process equipment catalogues – Part 10: List of Properties (LOPs) for Industrial-Process Measurement and Control for Electronic Data Exchange – Fundamentals

IEC 61987-11:2016-12, Industrial-process measurement and control – Data structures and elements in process equipment catalogues – Part 11: List of properties (LOPs) of measuring equipment for electronic data exchange – Generic structures

IEC 61987-12:2016-03, Industrial-process measurement and control – Data structures and elements in process equipment catalogues – Part 12: Lists of properties (LOPs) for flow measuring equipment for electronic data exchange

IEC 61987-13:2016-03, Industrial-process measurement and control – Data structures and elements in process equipment catalogues – Part 13: Lists of properties (LOP) for pressure measuring equipment for electronic data exchange

IEC 61987-14:2016-04, Industrial-process measurement and control – Data structures and elements in process equipment catalogues – Part 14: Lists of properties (LOP) for temperature measuring equipment for electronic data exchange

IEC 61987-15:2016-11, Industrial-process measurement and control – Data structures and elements in process equipment catalogues – Part 15: Lists of properties (LOPs) for level measuring equipment for electronic data exchange

IEC 61987-16:2016-12, Industrial-process measurement and control – Data structures and elements in process equipment catalogues – Part 16: List of properties (LOPs) for density measuring equipment for electronic data exchange

IEC 61987-21:2015-09, Industrial-process measurement and control – Data structures and elements in process equipment catalogues – Part 21: List of Properties (LOP) of automated valves for electronic data exchange – Generic structures

IEC 61987-22:2015-09, Industrial-process measurement and control – Data structures and elements in process equipment catalogues – Part 22: Lists of Properties (LOPs) of valve body assemblies for electronic data exchange

IEC 61987-23:2015-09, Industrial-process measurement and control – Data structures and elements in process equipment catalogues – Part 23: Lists of Properties (LOPs) of actuators for electronic data exchange

IEC 61987-24-1:2015-09, Industrial-process measurement and control – Data structures and elements in process equipment catalogues – Part 24-1: List of Properties (LOPs) of positioners and I/P converters for electronic data exchange

IEC CDV 61987-92 Ed. 1.0, Industrial-Process Measurement and Control – Data Structures and Elements in Process Equipment Catalogues: Part 92: Lists of properties (LOP) of measuring equipment for electronic data exchange – Aspect LOPs

IEC 62061:2005+AMD1:2012+AMD2:2015 CSV, Safety of machinery – Functional safety of safety-related electrical, electronic and programmable electronic control systems

Reihe IEC 62264/ISA 95

IEC 62264-1:2013-05, Enterprise-control system integration – Part 1: Models and terminology

IEC 62264-2:2013-06, Enterprise-control system integration – Part 2: Object and attributes for enterprise-control system integration

IEC 62264-3:2016-12, Enterprise-control system integration – Part 3: Activity models of manufacturing operations

IEC 62264-4:2015-12, Enterprise-control system integration – Part 4: Objects models attributes for manufacturing operations management integration

IEC 62264-5:2016-07, Enterprise-control system integration – Part 5: Business to manufacturing transactions

IEC/PAS 62264-6:2016-07, Enterprise-control system integration – Part 6: Messaging Service Model

ANSI/ISA-95.00.01-2010 (IEC 62264-1 Mod) – Enterprise-Control System Integration – Part 1: Models and Terminology

ANSI/ISA-95.00.02-2010 (IEC 62264-2 Mod) – Enterprise-Control System Integration – Part 2: Object Model Attributes

ANSI/ISA-95.00.03-2013 (IEC 62264-3 Modified) – Enterprise-Control System Integration – Part 3: Activity Models of Manufacturing Operations Management

ANSI/ISA-95.00.04-2012 – Enterprise-Control System Integration – Part 4: Objects and attributes for manufacturing operations management integration

ANSI/ISA-95.00.05-2013 – Enterprise-Control System Integration – Part 5: Business-to-Manufacturing Transactions

ANSI/ISA-95.00.06-2014 – Enterprise-Control System Integration – Part 6: Messaging Service Model

IEC/TR 62390:2005-01, Common automation device – Profile guideline

Reihe IEC 62443

IEC/TS 62443-1-1:2009-07, Industrial communication networks – Network and system security – Part 1-1: Terminology, concepts and models

IEC 62443-2-1:2010-11, Industrial communication networks – Network and system security – Part 2-1: Establishing an industrial automation and control system security program

IEC/TR 62443-2-3:2015-06, Security for industrial automation and control systems – Part 2-3: Patch management in the IACS environment

IEC 62443-2-4:2015-06, Security for industrial automation and control systems – Part 2-4: Security program requirements for IACS service providers

IEC/PAS 62443-3:2008-01, Security for industrial process measurement and control – Network and system security

IEC/TR 62443-3-1:2009-07, Industrial communication networks – Network and system security – Part 3-1: Security technologies for industrial automation and control systems

IEC 62443-3-3:2013-08, Industrial communication networks – Network and system security – Part 3-3: System security requirements and security levels

IEC 62507:2010-11, Identification systems enabling unambiguous information interchange – Requirements – Part 1: Principles and methods

IEC 62683:2015-08, Low-voltage switchgear and controlgear – Product data and properties for information exchange

Reihe IEC 62714

IEC 62714-1:2014-06, Engineering data exchange format for use in industrial automation systems engineering – Automation markup language – Part 1: Architecture and general requirements

IEC 62714-2:2015-03, Engineering data exchange format for use in industrial automation systems engineering – Automation markup language – Part 2: Role class libraries

IEC 62714-3:2017-01, Engineering data exchange format for use in industrial automation systems engineering -Automation markup language – Part 3: Geometry and kinematics

IEC/TS 62720:2017-01, Identification of units of measurement for computer based processing

IEC/TS 62832:2016-12, Industrial-process measurement, control and automation – Digital factory framework – Part 1: General principles

IEC/DIS 62890:2016 Ed. 1.0, Life-cycle management for systems and products used in industrial-process measurement, control and automation

IEC/PAS 63088:2017-03 Ed1, Smart Manufacturing – Reference Architecture Model Industry 4.0 (RAMI4.0)

ISO 10303-1:1994, Industrial automation systems and integration – Product data representation and exchange – Part 1: Overview and fundamental principles

ISO 10303-11:2004-11, Industrial automation systems and integration – Product data representation and exchange – Part 11: Description methods: The EXPRESS language reference manual

ISO 13584-42:2010-12, Industrial automation systems and integration – Parts library – Part 42: Description methodology: Methodology for structuring parts families

Reihe ISO 29002

ISO/TS 29002-5:2009-02, Industrial automation systems and integration – Exchange of characteristic data – Part 5: Identification scheme

ISO 29002-13:2010, Industrial automation systems and integration – Open technical dictionaries and their application to master data – Part 13: Identification of concepts and terminology

ISO/TS 29002-20:2010-04, Industrial automation systems and integration – Exchange of characteristic data – Part 20: Concept dictionary resolution services

ISO 50001:2011-06, Energy management systems — Requirements with guidance for use

Reihe ISO/IEC 7498

ISO/IEC 7498-1:1994-11, Information technology – Open Systems Interconnection – Basic Reference Model: The Basic Model

ISO/IEC 7498-2:1989-02, Information processing systems – Open Systems Interconnection – Basic Reference Model – Part 2: Security Architecture

ISO/IEC 7498-3:1997-07, Information technology – Open Systems Interconnection – Basic Reference Model: Naming and addressing

ISO/IEC 7498-4:1989, Information processing systems – Open Systems Interconnection – Basic Reference Model – Part 4: Management framework

ISO/IEC/IEEE 42010:2007-07; Systems and software engineering – Recommended practice for architectural description of software-intensive systems

VDI/VDE 3682 Blatt 1:2015-05 Formalisierte Prozessbeschreibungen – Konzept und grafische Darstellung

VDI/VDE 3682 Blatt 2:2015-05 Formalisierte Prozessbeschreibungen – Informationsmodell

VDMA-Einheitsblatt 24582:2014-04, Feldbusneutrale Referenzarchitektur für Condition Monitoring in der Fabrikautomation; Fieldbus neutral reference architecture for Condition Monitoring in production automation

Stichwortverzeichnis

A

Abbildungsprozess 94, 95
acatech 1, 10
Application Programming Interface (API) 22
Application Services 111, 112
Architektur 6, 15, 37, 39, 41, 45, 47, 109, 111
Asset 17, 20, 31, 89, 94, 95
Asset Layer 40, 46, 54, 119
Asset-Management 75
Assets 66
Assetverbund 100, 101
Attribute 18, 20, 80, 81, 100, 112
AutomationML 110, 132
Automatisierungspyramide 38, 39, 44

B

Basismerkmale 88
Bekanntheitsgrad 34, 122
Beziehung 100, 107, 109
Block 24, 54
Business Layer 52, 53, 118

C

Case of 27
Code 20, 22, 23
Common Data Dictionary 19, 64, 81
Communication Layer 47, 51, 119
Communication Services 111, 112
Condition Monitoring 52, 108
Connected World 44, 45, 48, 74
Control Device 44
Cyber Physical Systems 31

D

data element 20
Development 43

E

eCl@ss e.V. 8, 119
Eindeutigkeit 19, 20, 22, 23, 97, 115
Einheiten 1, 21, 70, 77, 108
Energiemanagement 55, 85
ERP 15, 38, 84, 85

F

Feldbus 77
Fertigungslinie 1, 6, 11, 12, 15, 16, 32, 109
Fertigungstechnik 52
Field Device 45, 56, 59
freie Merkmale 80, 88, 91
Functional Layer 51, 53, 55, 118, 119

G

Grammatik 97, 109
Gruppe 24

H

Herstellerspezifische Funktionen 53
Hierarchy 41

I

I4.0-Funktionen 51
I4.0-Komponente 9, 19, 29, 31, 34, 51, 61, 66, 67, 68, 71, 76, 77, 80, 84, 89, 94, 95, 97, 100, 101, 105, 107, 109, 112, 115, 118, 121
I4.0 Ready 41
Identifikator 16, 19, 22, 23, 58, 63, 64, 65, 89, 91, 115, 118
Identität 23, 64, 90, 112, 115
Information Layer 48, 50, 52, 54, 119
Information Services 111
Informationswelt 1, 6, 7, 9, 11, 16, 17, 18, 19, 20, 31, 32, 34, 35, 36, 38, 42, 44, 46, 47, 61, 62, 63, 66, 67, 68, 94, 95, 101, 107
Instanz 31, 33, 36, 37, 43, 64, 66, 83
Integration Layer 46, 51, 53, 54, 55
Interaktionsmodelle 69, 112
Interchangebility 98
Interconnectivity 98
International Registration Data Identifier 64, 89
Internet der Dinge und Services 1, 3
Interoperability 98
IRDI 64
ISO-OSI-Modell 48

K

Kardinalität 24
Kommunikationsadresse 64
Kommunikationsfähigkeit 34, 69
Kommunikationsinfrastruktur 48, 111
Kommunikationsschicht 47
Kooperation 1, 7, 12, 44, 67, 69, 77, 86, 97, 99, 108, 119

L

Layer 37, 38, 41, 45, 50
Lebenszyklen 42, 56
Life Cycle 31, 41
List of Properties 27
LOP 27

M

Maintenance 43
Mensch 11, 15, 34, 61, 62, 80, 84, 97, 108, 116
Mensch-Maschine-Maschine 15
Merkmale 17, 19, 20, 24, 27, 31, 32, 63, 64, 78, 81, 83, 87, 97, 100, 105, 110, 112, 113, 119, 121
Merkmallisten 27, 121
Merkmalsinstanz 64
Merkmalsprinzip 17
MES 12, 15, 37, 75, 84, 85, 86, 109
Migration 39, 47, 55, 71, 73

N

Normen 40, 42, 44, 48, 56, 64, 116, 118, 119, 122, 126, 132
Normung 20, 89, 118, 120

O

Objektwelten 62
Office Floor 4, 15, 48
Ontologien 81, 84
OPC-UA 48, 55
Optionale Merkmale 88

P

Pflichtmerkmale 88
physische Welt 8, 11, 17, 40, 46, 92, 119
Platform Services 111
PLCopen 85
Polymorphismus 26
Präzision 22
Production 1, 43
Production Manager 12, 109
Production Units 12, 109
Produkt 1, 4, 7, 8, 11, 12, 15, 24, 26, 29, 31, 32, 42, 43, 44, 56, 57, 58, 67, 70, 74, 77, 78, 109, 111, 115, 116, 118, 119, 121, 123, 124, 126, 127
Produkteigenschaften 124
Property Principle 17
Prozessfunktionen 51, 52

R

RAMI4.0 39, 45, 46, 54, 55, 56, 57, 59, 70, 76, 77, 95, 116, 118, 123
Referenzarchitektur 6
Referenzarchitekturmodell 4, 6, 39, 41, 123
Repository 72, 101

S

SbD 115
Schachtelbarkeit 76
Security 8, 108, 112, 115, 116
Self-X-Funktionalität 8, 16, 17
Semantik 4, 20, 22, 23, 52, 97, 110, 118, 119
semiotisches Dreieck 63
Serviceorientierung 48, 97, 99, 109, 111, 112
SGAM 38
SGML 8
Shop Floor 4, 15, 48
Smart Factory 3, 10
Smart Grid Architecture Model 38
Smart Plant 3, 71
Spiegelung 1, 6, 7, 17, 18, 24, 61, 63
Sprachunabhängigkeit 22, 23
Synonyme 20, 22, 23
Syntax und Semantik 110
Systemintegrator 12, 15, 69

T

TCP/UDP 48
Teilmodelle 86, 88, 89, 91, 112, 114
Typ 31, 33, 36, 37, 43, 66, 99

U

Unified Modelling Language 85
Uniform Resource Identifier 64
Uniform Ressource Identifier 89
URI 64, 66, 89

V

Value Stream 39, 41
Verwaltungsschale 19, 29, 31, 34, 61, 64, 66, 68, 70, 71, 72, 73, 75, 78, 84, 86, 89, 92, 101, 112
Vita 15, 31, 33, 37, 42, 107

W

Wertschöpfungsketten 42, 56, 111
Wertströme 56

Z

Zusammengesetzte Funktionen in Form von Applikationen 53